家庭学習ガイド
西南学院小学校

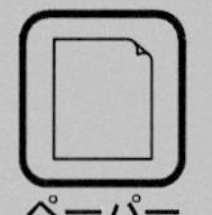
ペーパー

巧緻性

口頭試問

行動観察　制作

運動

親子面接

入試情報

出題形態：ペーパー、ノンペーパー
面　　接：親子面接
出題領域：ペーパーテスト（図形、数量、言語、常識、お話の記憶）、巧緻性、口頭試問、行動観察、制作（想像画）、運動

入試対策

2023年度の入試は、事前に面接が行われ、1日目にペーパーテスト、口頭試問、2日目に行動観察、制作、運動という内容で実施されました。ペーパーテストでは図形、数量、言語、お話の記憶の分野から出題され、基本問題を中心とした内容でした。「お話の記憶」は少しずつ標準的なものなっていますが、設問には細かな表現を聞くものもあります。お話の記憶は、図形や数量の分野と違い、急にできるようになる特効薬はありません。また、お話を記憶するためには、読み聞かせは必要不可欠であり、力の伸長は読み聞かせの量に比例するとも言われています。近年、「聞く力」の弱いお子さまが増加しており、「聞く力」の低下は、他の分野にも影響を及ぼすことから、読み聞かせは絶対に欠かすことのできない基本学習と位置づけられることができます。この、読み聞かせですが、学習として行うのではなく、楽しみとして学習外で行い、読み聞かせたあとに内容を話題とした会話をしましょう。読み聞かせを行うときは、抑揚を付けずにおこなってください。「数量」や「図形」などは問題ごとの設問数も多く、思考力と集中力を要する出題となっています。そのため、単に解き方だけを修得すればいいという学習ではなく、理解、正確さスピードといった総合的な力の慎重が求められます。これらの学習は、単にペーパーの量を増やせば良いという対策ではなく、先ずは、問われている内容の理解や論理的思考力が身に付いているかという基礎基本の定着が最優先です。その上で、ペーパーでの学習をすることでお子さまの理解力はアップします。また、学習は問題を解くだけでなく、作問をしたり、答え合わせを自分自身で行わせるのもおすすめいたします。具体物を使用し、施行錯誤することで、理解力と論理的思考力の定着を図ることができます。なお、当校の教育目標として「真理を探究し、平和を創り出す人間の創造」というテーマが掲げられています。面接を含めた選考を通して、その資質がチェックされているので、学校のことをよく理解した上で対策を立てることが大切です。

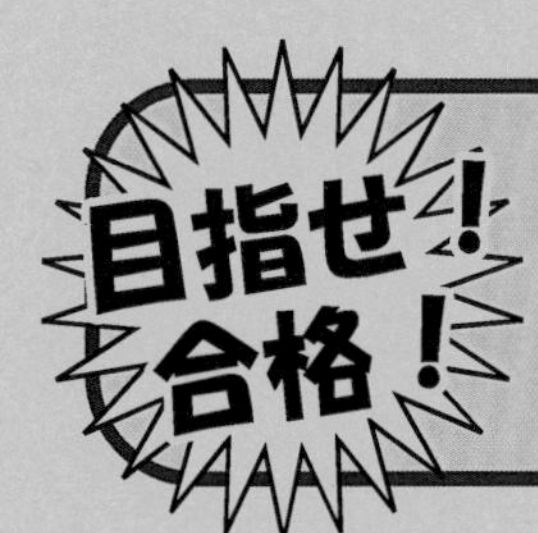

家庭学習ガイド

福岡教育大学附属小学校（福岡・久留米・小倉）

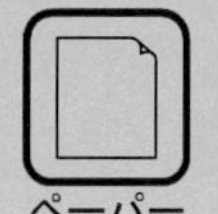
ペーパー

行動観察

口頭試問

絵　画

入試情報

出題形態：ペーパー、ノンペーパー
面　　接：なし
出題領域：ペーパーテスト（図形、数量、言語）、行動観察、口頭試問、絵画

入試対策

福岡教育大学の３つの附属小学校では、同日同時刻に同じ内容の試験を行うという、全国的に見ても、他の学校ではあまり見られない形式で入学試験が実施されています。
第１次選考は、例年１月上旬に実施されています。内容は、ペーパーテスト、行動観察、口頭試問、絵画となっており、知識だけでなく、論理的思考力、判断力、表現力など総合的な観点での出題が特徴です。また、昼食を挟んで午後も入試が行われるため、集中力の持続は何よりも重要となってきます。特に昼食を摂ったあと、集中力がかけるお子さまが多く、特に、行動観察は競技だけでなく、待っているときの態度も重要な観点となっており、待っているときの態度は差が付く観点の一つとなっています。このことから、学力面と平行し、お子さまの集中力の持続、ＴＯＰに応じた行動がとれるよう、日常生活を通してしっかりと身につけましょう。分野的には、「数える」「探す」など、お子さまの忍耐力や集中力を見る問題が多く出題されています。昨年度の試験では図形分野からの出題が目立ちました。この傾向が次回の試験でも続くかどうかはわかりませんが、図形分野の学習は行なっておいた方がよいでしょう。図形や数量に関する学習は、解答を見つけるためのハウトゥが存在しますが、ハウトゥを用いた学習はおすすめできません。試験対策として試験前に修得するのは致し方のないことですが、入学後を鑑みると、ハウトゥで高得点を得たお子さまは伸び悩む傾向があります。それを回避するために、論理的思考力の強化をお勧めします。とはいっても、具体物を使用して問題を紐解いていったり、答え合わせを自分で行ってみたり、作問をすることも有効な学習方法となります。一見、遠回りするように思われるでしょうが、ここで理解をすると、ペーパーでの学習も一気に伸びてきます。急がば回れという諺がありますが、まさにその通りといえます。口頭試問では、整理整頓に関する質問がありました。質問に対する答えとともに、きちんとした受け答えができるという意味でのコミュニケーション力が、当校の入試では必須とも言えるでしょう。第２次選考は、第１次選考合格者の中で抽選が行われ、入学内定者が決定します。

西南学院小学校
福岡教育大学附属小学校

過去問題集

〈はじめに〉

現在、少子化が叫ばれているにもかかわらず、一定の志願者を集めるのが小学校入学試験です。このような状況では、ただやみくもに練習をするだけでは合格は見えてきません。志望校の過去における出題傾向を研究・把握した上で、練習を進めていくこと、その上で試験までに志願者の不得意分野を克服していくことが必須条件です。そこで、本問題集は小学校を受験される方々に、志望校の出題傾向をより詳しく知っていただくために、過去に遡り出題頻度の高い問題を結集いたしました。最新のデータを含む精選された過去・対策問題集で実力をお付けください。

また、小学校受験の詳しい情報は「**小学校入試知っておくべき125のこと**」（小社刊）並びに、弊社ホームページを参考になさってください。

〈本書ご使用方法〉

◆出題者は出題前に一度問題を通読し、出題内容などを把握した上で、〈 **準 備** 〉の欄に表記してあるものを用意してから始めてください。

◆お子さまに絵の頁を渡し、出題者が問題文を読む形式で出題してください。問題を読んだ後で、絵の頁を渡す問題もありますのでご注意ください。

◆「**分野**」は、問題の分野を表しています。弊社の問題集の分野に対応していますので、復習の際の目安にお役立てください。

◆一部の描画や工作、常識等の問題については、解答が省略されているものがあります。お子さまの答えが成り立つか、出題者が各自でご判断ください。

◆〈 **時 間** 〉につきましては、目安とお考えください。

◆**学習のポイント**は、指導の際にご参考にしてください。

◆**【おすすめ問題集】**は各問題の基礎力養成や実力アップにご使用ください。

〈本書ご使用にあたっての注意点〉

◆文中に **この問題の絵は縦に使用してください。** と記載してある問題の絵は縦にしてお使いください。

◆〈 **準 備** 〉の欄で、クレヨンと表記してある場合は12色程度のものを、画用紙と表記してある場合は白い画用紙をご用意ください。

◆文中に **この問題の絵はありません。** と記載してある問題には絵の頁がありませんので、ご注意ください。尚、問題の絵の右上にある番号が連番でなくても、中央下の頁番号が連番の場合は落丁ではありません。
下記一覧表の●がついている問題は絵がありません。

問題1	問題2	問題3	問題4	問題5	問題6	問題7	問題8	問題9	問題10
						●	●	●	●
問題11	問題12	問題13	問題14	問題15	問題16	問題17	問題18	問題19	問題20
						●			●
問題21	問題22	問題23	問題24	問題25	問題26	問題27	問題28	問題29	問題30
			●		●	●		●	
問題31	問題32	問題33	問題34	問題35	問題36	問題37	問題38	問題39	
					●			●	

◎学習効果を上げるため、前掲の「家庭学習ガイド」をお読みになり、各校が実施する入試の出題傾向をよく把握した上で問題に取り組んでください。

※冒頭の「本書ご使用方法」「本書ご使用にあたっての注意点」も併せてご覧ください。

〈西南学院小学校〉

2023年度の最新問題

問題1　分野：推理（比較）

〈準備〉　クーピーペン（青）

〈問題〉　**この問題の絵は縦に使用してください。**
左の絵を見てください。１番重いものを右の絵の中から選んで、○をつけてください。

〈時間〉　各15秒

〈解答〉　①ライオン　②電車　③リンゴ　④メロン　⑤キツネ

学習のポイント

シーソーの問題としてはオーソドックスな、１番重たい物を選ぶ出題でした。シーソーの仕組みは重たい物が下がり、軽い物が上がる。これをしっかりと理解していれば、簡単に回答が出せる問題です。重たい物が下がるなら、上がっている物を選択肢から除外すれば残された物が解答になりますし、下がったままの物を探しても解答を見つけることができます。どちらの方法を用いても構いませんが、答え合わせの際、重たい順（軽い順）に並べることができるかも確認しておくとよいでしょう。全ての順番が解れば、どの重さを聞かれても対応することができます。昔は、公園にシーソーがあったため、体験しながら学びましょうと言えたのですが、今はありませんから、自宅でシーソーの代わりになるようなもをを作り、実験をしながら学習しながら学習をするとよいでしょう。

【おすすめ問題集】
Ｊｒ・ウォッチャー33「シーソー」

問題2　分野：言語（音の数）

〈準備〉　クーピーペン（青）

〈問題〉　絵の中から音の数が違うものを選んで、○をつけてください。

〈時間〉　各15秒

〈解答〉　①真ん中（コマ）　②左（ラッコ）　③右端（車）
④左端（トマト）　⑤左端（パイナップル）　⑥左から2番目（かきごおり）

学習のポイント

音の数が違う物を探す問題ですが、特に難しい問題ではありません。描いてある物の名前が分かれば後は比較をするだけです。ただ、比較をするときに注意して欲しいのは、声に出して考えないことです。試験中に声を出して考えていると、先生から注意を受けます。注意自体は軽いものですが、お子さまにしたら入試という特別な場所で、先生から自分だけ注意を受けたという精神的なショックは大人が考えるよりも大きなものとなります。その場合、その後も引きずってしまいます。そのようなことも考慮し、普段から声に出さずに考える習慣を身につけましょう。問題を解く際、指を折りならが、順番に名前を頭の中でいいながら数えると、正解はすぐに解ります。ただし、全ての絵をチェックしましょう。解答が一つとは限りません。例えば選択肢が5つあった場合、3つある物が同じで違うものが2つという場合もないとは限りません。この方法用いていることで、そのような問題が出題されてたときでも対応ができます。

【おすすめ問題集】

Ｊｒ・ウォッチャー17「言葉の音遊び」、18「いろいろな言葉」
60「言葉の音（おん）」

問題３　分野：数量（数の増減）

〈準備〉　クーピーペン（青）

〈問題〉　上のお約束を見てください。△の時はサイコロの目が２つ増え、○のときはサイコロの目が１つ増えます。×のときはサイコロの目が１つ減ります。では、下の問題を見てください。お約束の通りに進むと、サイコロの目はいくつになりますか。その数だけ下の四角の中に○を書いてください。

〈時間〉　各15秒

〈解答〉　下図参照

△→○○　○→○　×→●

①	②	③	④	⑤
⚁	⚀	⚃	⚂	⚁
○→×→△	△→△→×	○→×→△	×→△→○	△→○→×
○○○○	○○○○	○○○○○○	○○○○○	○○○○

学習のポイント

描かれてある約束にそって数を操作していけばいいだけです。もし、約束が描いてなければ、言われた約束を覚えていなければならず、難易もかなり高くなります。しかし、この問題の場合、約束が描いてあるので、あとは、それに添って数を操作すれば解答を導き出すことはができます。ただ、この場合、操作をするスピードが重要になってきます。だからといっていきなりスピードを求めるのではなく、まずは確実に解くことを修得することに尽力しましょう。確実性が増せば、次に問題を多く解き慣れることで少しずつ操作が早くなってきます。そのようにして取り組んでみてください。急がば回れという諺があるように、受験勉強も基礎に時間をかけた方が、結果的には学力も伸びます。

【おすすめ問題集】

Ｊｒ・ウォッチャー38「たし算・ひき算1」、39「たし算・ひき算2」
57「置き換え」

問題4　分野：図形（重ね図形）

〈準備〉　クーピーペン（青）

〈問題〉　**この問題の絵は縦に使用してください。**
左側の絵を右の絵の上に重たとき、白いところに色を塗ってください。

〈時間〉　各20秒

〈解答〉　下図参照

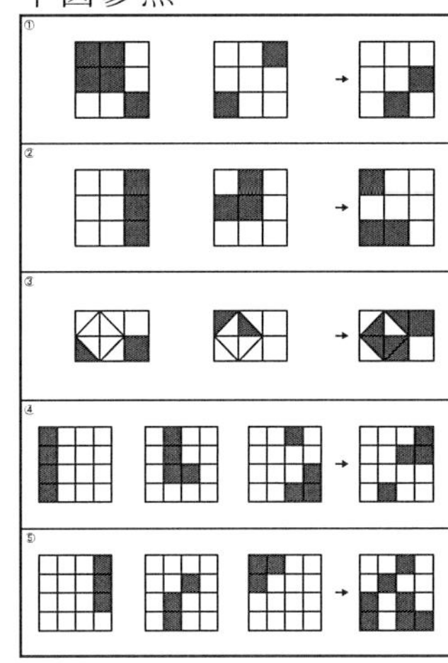

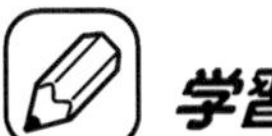

学習のポイント

昨年と比べると、問題の難易度が上がったと思います。昨年は重なった順番だけを問いましたが、今回は複数枚の図形を重ねたときの色の状況を聞いています。まずは位置関係の把握がきちんとできているでしょうか。どの部分とどの部分が重なるのかが正確に把握できていないと正解は得られません。このような問題に有効な学習は、クリアファイルを使用したものです。まず、クリアファイルの下の部分を切り取り、ノートのように開くようにします。形を二つ重ねたときなら、片方の図形の上にクリアファイルを置き、ホワイトボード用のペンで上からなぞります。その後、クリアファイルをもう片方の図形の上に置くと、解答が分かります。3つ重ねるときは、クリアファイルを開き、一面ずつ図形を描いて重ねると解答になります。このように身近な物を学習に活用して取り組むことでお子さまも楽しく学習ができるのではないでしょうか。

【おすすめ問題集】

Ｊｒ・ウォッチャー35「重ね図形」

家庭学習のコツ① **「家庭学習ガイド」はママの味方！**

問題演習を始める前に、試験の概要をまとめた「家庭学習ガイド（本書カラーページに掲載）」を読みましょう。「家庭学習ガイド」には、応募者数や試験課目の詳細のほか、学習を進める上で重要な情報が掲載されています。それらの情報で入試の傾向をつかみ、学習の方針を立ててから、対策学習を始めてください。

問題5　分野：お話の記憶

〈準備〉　クーピーペン（青）

〈問題〉　お話を聞いて、後の質問に答えてください

今日は家族みんなでピクニックにいく日です。この日をずっと楽しみにしていただいきくんは、朝７時、目覚まし時計の音で飛び起きました。いもうとのみずきちゃんも目を覚ましましたが、まだ眠そうです。「２人ともおはよう。ごはんできてるよ。」お母さんに呼ばれて、２人は朝ごはんを食べました。歯を磨いた後は服を着替えて、いよいよピクニックに出発します。だいきくんは青い半ズボンに、しま模様のシャツ、みずきちゃんは赤いスカートに、水玉模様のシャツを選びました。今日のピクニックは、お友達も一緒です。だいきくんたちはお父さんの運転する車で、幼稚園で１番仲のいいはやとくんと、はやとくんの妹のあかりちゃんを迎えに行きました。はやとくんたちのお家に着くと、はやとくんのお母さんが出てきました。「おはようございます。」だいきくんとみずきちゃんは、元気よく挨拶をします。「だいきくん、みずきちゃん、おはよう。ごめんね、はやとは今朝寝坊しちゃったの。呼んでくるから、ちょっと待っててね。」そう言うと、はやとくんのお母さんは、はやとくんたちを呼びに行きました。少しして、はやとくんとあかりちゃんが、玄関から出てきました。「だいきくんおはよう。おそくなってごめんね。」「大丈夫、僕たちも今ついたところだよ。」そう言うと、だいきくんたちは２人を乗せて、行き先の公園へと出発しました。「ところではやとくん、今日はどうして寝坊しちゃったの」だいきくんが聞きました。「昨日、お母さんに『ヘンゼルとグレーテル』っていう本を読んでもらったんだ。そしたら、お話に出てきた魔女が怖くて眠れなくなっちゃった。」はやとくんは恥ずかしそうに答えました。「僕は昨日、『桃太郎』を読んでもらったよ。」そんな話をしていると、公園に到着しました。だいきくんたちは話し合って、まずはすべり台で遊ぶことにしました。次にブランコ、最後に砂場で遊ぶつもりでしたが、あかりちゃんが「たくさんあそんで、おなかがすいちゃった。」と言ったので、ベンチに座ってお弁当を食べることにしました。だいきくんとみずきちゃんのお弁当には、卵焼きが１個、ミニトマトが２個、ウィンナーが１個入っています。大好きな卵焼きが入っていたので、だいきくんは大喜びです。はやとくんとあかりちゃんのお弁当には、ハンバーグが１個、ミニトマトが２個、ウィンナーが２個入っていました。ミニトマトが苦手なあかりちゃんは、少しだけいやそうな顔をしていましたが、残さず全部食べました。みんながお弁当を食べ終わったころ、だいきくんのお父さんが、デザートにアイスクリームを買ってきてくれました。だいきくんとはやとくんはオレンジ味、みずきちゃんとあかりちゃんはブドウ味、だいきくんのお父さんとお母さんはイチゴ味のアイスを食べました。アイスを食べ終わった後は、日が暮れるまで、みんなで楽しく遊びました。

①だいきくんが起きたのは何時でしょう。同じ目のサイコロを選んで○をつけてください。
②みずきちゃんが着ていったシャツはどれでしょう。選んで○をつけてください。
③だいきくんたちが遊んだ順番どおりに並んでいる絵に○をつけてください。
④はやとくんのお弁当はどれでしょう。選んで○をつけてください。
⑤ピクニックに行った人は全員で何人でしょう。同じ目のサイコロを選んで、○をつけてください
⑥だいきくんがピクニックに行く前の日に読んでもらったお話に登場する動物はどれでしょう。選んで○をつけてください。
⑦みずきちゃんが食べたアイスの味の果物と、同じ季節に咲く花をえらんで、○をつけてください。

〈時間〉　各15秒

〈解答〉　①右端（７時）　②右（水玉模様）③右端　④左
⑤右端（６人）　⑥右　⑦右端（コスモス）

学習のポイント

本年のお話の記憶はピクニックに行く内容でした。お話の記憶は読み聞かせの量に比例すると言われています。これにつきましては以前にもお伝えしました。他にも、お話の内容によっても記憶の状況は変わります。ピクニックの経験があるお子さまは、お話の内容を自分の経験になぞらえて記憶することができます。経験になぞらえる、身近なことに関連づけることで忘れにくくなります。また、記憶がしっかりしていれば、後の質問にもしっかりと対応することができます。お話の記憶の問題では、集中してお話を聞くことが重要です。集中していないと、お話をしっかりと記憶することができません。近年、子どもの聞く力が弱くなっていると言われていますが、入学後を考慮するとよいことではありません。その理由として、お話の記憶を解く力は、授業を受けるときに必要な力がたくさん含まれているといわれています。そして、聞くことは全ての学習の源ですから、その点を理解してしっかりと対策をとりましょう。

【おすすめ問題集】

Ｊｒ・ウォッチャー19「お話の記憶」、１話５分の読み聞かせお話集①・②
お話の記憶 初級編・中級編・上級編

問題6 分野：巧緻性

〈準備〉 クーピーペン（12色）、ハサミ、のり

〈問題〉 （問題６－１の絵を渡す）
点線の上を、青いクーピーペンでなぞってください。
（問題６－２、６－３の絵を渡す）
問題６－２のアジサイを、好きな色で塗ってください。
問題６－３の雲を点線に沿ってハサミを使って切り取ってください。
切り取った雲を、問題６－２の四角い枠に、のりで貼ってください。

〈時間〉 15分

〈解答〉 省略

学習のポイント

昨年よりも指示が増えており、その分しっかりと指示を聞き、対応しなければなりません。全体的に難易度が若干アップしましたが、共通しているのは「聞く力」を必要とすることです。お子さまは、しっかりと指示を聞いて対応できたでしょうか。この問題の対策ですが、２つに分けて考えることをおすすめします。一つは技術的なこと、もう一つが聞くことです。間違えたお子さまの場合、どちらがよくなかったのかを把握し、対応してください。またハサミの使い方は正しかったでしょうか。ハサミの使い方が苦手なお子さまは、先端で切る傾向があります。ハサミは根元の部分を使うと扱いやすいことを教えてあげてください。そのためには厚紙を切らせると、その違いが分かると思います。また、切った後のゴミがどのようになっていたかもチェックしてください。指示が出ていなくても、ゴミを片付ける、まとめておくなどは習慣づけておきたいことです。

【おすすめ問題集】

Ｊｒ・ウォッチャー23「切る・貼る・塗る」、24「絵画」
実践 ゆびさきトレーニング①②③

問題7　分野：行動観察

〈準備〉　新聞紙、ネット、三角コーン

〈問題〉　**この問題の絵はありません。**
4人組で行う。
・新聞紙を丸めて、1人につき1つのボールを作ってください。全員できたら、先生からボールを1つ受け取ってください。
・ネットの上に、皆が作ったボールと、先生からもらったボールを乗せて、三角コーンのところまで運んでください。誰がどこを持つかは、話し合って決めましょう。

〈時間〉　適宜

〈解答〉　省略

学習のポイント

入試で、得点、時間、順位など、競争を取り入れると、動きが雑になるお子さまがいます。入試において、順位などは判定には反映されません。いかに、お子さまの素の状態を観るか、そのためにどのような要素を取り入れ、観察するかという点が狙いになります。ですから、先生から出される指示はしっかりと聞き、遵守しなければなりません。また、失敗をするときもあると思います。この時、お子さまはどのような言動をとるでしょうか。このようなちょっとしたことがチェックされてしまいますので注意しましょう。ゲームの方は、約束や指示を聞き、積極的に楽しみましょう。みんなで行うゲームですから、笑顔などが出ると尚よいと思います。みんなで楽しむことを意識して頑張りましょう。そして、ゲームが終わったあとも大切です　。終わったからといってふざけていいわけではありません。ふざけたりせず待つようにしましょう。

【おすすめ問題集】
Ｊｒ・ウォッチャー28「運動」、29「行動観察」、新運動テスト問題集

問題8　分野：口頭試問

〈準備〉　なし

〈問題〉　**この問題の絵はありません。**
お話を聞いて、後の質問に答えてください。答えるときは手を挙げて、呼ばれてから答えましょう。

お話の内容「ナイチンゲールのお話」

（質問）
・大きくなったら何になりたいですか。
・看護師さんに手当てをしてもらったことはありますか。

〈時間〉　適宜

〈解答〉　省略

学習のポイント

ナイチンゲールのお話ですが、一度は読み聞かせで聞いたことがあると思います。読み聞かせをしたことがないという方がいましたら、ぜひ、読み聞かせをしてあげてください。読み聞かせのよいところは、お話を聞いた後、感想を話したり、どうしたらよかったかなど、記憶力のアップだけでなく、人間性としても高めることができます。ナイチンゲールのお話を聞いたあと、乱暴な気持ちになる人はいないと思います。彼女の献身的な働きを知り、自分でできることを探し、他者のために動けば、入試での協調性に大きく貢献するでしょう。有名なお話、伝記などは、ぜひ、読み聞かせをしてあげてください。ただし、読み聞かせをする際、内容の正しい物を選び、読み聞かせをしましょう。近年、内容が変えられて発行されている絵本がありますが、残酷なお話はただ酷いだけでなく、残酷な物語である理由があります。保護者の方は、著者のメッセージをしっかりと汲み取り、お子さまによい読み聞かせをしてあげてください。継続することで、お話の後の質問にも積極的に意見を言うことができます。

【おすすめ問題集】

1話5分の読み聞かせお話集①・②、新口頭試問・個別テスト問題集
口頭試問最強マニュアル 生活体験編

問題9 分野：運動（模倣体操）

〈準 備〉 なし

〈問 題〉 **この問題の絵はありません。**
先生のお手本を見て、同じようにダンスしてください。
・右手、左手、両足を順番に広げ、首を左側に傾けます。
・少し腰を落として、その場で１回転してください。

〈時 間〉 適宜

〈解 答〉 省略

学習のポイント

行動観察の試験では、課題に取り組む姿勢や集団の中における振る舞いから、主に小学校生活への適応能力を観られています。まずは先生の指示をしっかりと聞き、課題に取り組んでください。その他にも、お友だちと円滑にコミュニケーションを取る社会性、ゲームを成立させチームの一員として行動する協調性、役割を自ら見つける自立性、意見やアイデアを出し率先して行動する積極性、リーダーシップ、他者を尊重する姿勢など、評価のポイントは多岐に渡ります。日頃から、家族とのコミュニケーションやお友だちとの遊びの時間を大切にし、集団生活での振る舞いをお子さまが自ら学んでいけるようにしてください。その過程において、お子さまの自立も促されるでしょう。なお、このような勝負の要素のある課題では、しばしば勝ちたいあまりに言動が荒っぽくなる受験生も見られます。お子さまにその傾向があるようでしたら、勝ち負けよりもルール・マナーの順守を優先しなければならないことを、お子さまなりに理解できるように指導しておきましょう。

【おすすめ問題集】

Ｊｒ・ウォッチャー28「運動」、新運動テスト問題集

問題10　分野：運動（サーキット）

〈準 備〉　ラジオ体操の音源、マット、フラフープ、縄跳び、ボール、三角コーン

〈問 題〉　**この問題の絵はありません。**

- 先生と一緒にラジオ体操をしましょう。
- フラフープの中に立ち、「やめ」の合図があるまで片足立ちをします。この時、誰かが失敗した場合、全員座り、もう一度やり直します。

・サーキット
これからお手本をするので、よく見て同じようにしてください。くま歩き、縄跳び、ケンパ、ボールキャッチの順に行います。全て終わったら、コーンの前で三角座りをして、全員が終わるのを待ちましょう。
・ケンパ
パー・ケン・パー・ケン・パー・パー・ケン・ケン・パーの順で行います。
・ボールキャッチ
ボールを上に投げてキャッチします。これを3回繰り返しましょう。

〈時 間〉　適宜

〈解 答〉　省略

学習のポイント

教室から体育館に移動して行いました。試験の最初に、約束が伝えられますが、幾つかの試験を経過したあと、お子様はそれを守れるでしょうか。約束は、教室の移動の際、静かにする、走らない、大きな足音を立てないと、３つ出されています。この約束の遵守も、話を聞き、理解し、対応するという、観点としては大きなポイントになります。
試験会場では、ラジオ体操のお手本を見たあと、実際に運動を行います。片足立ちでは、できなかったお友達がいたとき、直ぐに座ることができたでしょうか。人の動きを見て動くのではなく、反応を早くしましょう。クマ歩きはふざけたり、雑にするのではなく、しっかり行ってください。その後のサーキットですが、縄跳びのあと、ケンパを行います。この時点で脚はしっかりしていますか。脚がふらふらになると次のボールキャッチが上手くできません。当校の運動を観ていると、脚の力を必要とするものが多く出題されています。体力の強化、バランス感覚の伸長をするためにも、積極的な外遊びを取り入れてみてはいかがでしょう。終わったあと、三角座りで待つと指示が出ています。ふざけずに待っていられるよう注意してください。

【おすすめ問題集】
Ｊｒ・ウォッチャー28「運動」、29「行動観察」、新運動テスト問題集

2022年度の過去問題

問題11　分野：図形（四方からの観察）

〈準備〉　クーピーペン（青）

〈問題〉　左の絵の積み木を上から見るとどのように見えますか。右の絵の中から選んで○をつけてください。

〈時間〉　各15秒

〈解答〉　下図参照

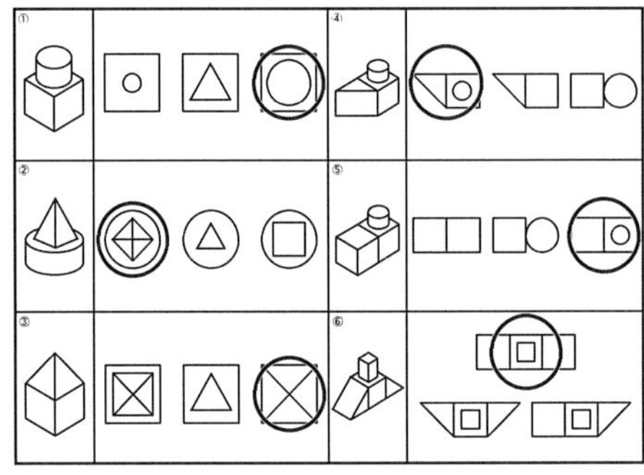

［2022年度出題］

学習のポイント

積み木の横四方向から見て、見える形と場所を関連づける問題がよく出題されますが、この問題は上から見たものを問われています。上から見た積み木の形については、学習量の少ないお子さまもいるのではないでしょうか。そのような場合、混乱してしまうと思います。このときに役立つのが体験です。普段から積み木遊びをしているお子さまは、描いてある元の積み木を頭の中で積み直したあと、上から観察して解答することができます。また、この問題はお子さま自身に答え合わせをさせるとよいでしょう。問題を解いたあと、実際に積み木を観察させ、同じ種類の積み木を渡して作らせます。完成したら上から観て、自分の解答が合っているかどうかを確認します。この方法を取り入れることで、同時に積み木の数も学ぶことができます。

【おすすめ問題集】
　Ｊｒ・ウォッチャー16「積み木」、53「四方からの観察　積み木編」

問題12　分野：言語

〈準備〉　クーピーペン（青）

〈問題〉　左の絵からしりとりを始めます。右の絵の中で、使わないものに○をつけてください。

〈時間〉　各15秒

〈解答〉　下図参照

［2022年度出題］

学習のポイント

つながらないものを問われていますが、このような問題の場合、先ずはしりとりを完成させましょう。完成したとき、残っているのが解答です。解き方が分からないお子さまに対して説明するときも、今述べた程度の内容で構いません。簡単に説明することで、お子さまも簡単な問題なんだという認識を持ちます。よく、分からない問題を丁寧にされる保護者の方がいますが、説明が長くなると、それだけで難しい問題だという認識を持たせてしまうことがあります。できない問題ほど、シンプルに、短く説明をすることをおすすめします。説明後、「何だぁ。そうなんだ」などの軽い返事が返ってくることを目指してください。しりとりは、ドライブなど、外出したときの遊びとして取り入れることをおすすめいたします。

【おすすめ問題集】

Ｊｒ・ウォッチャー17「言葉の音遊び」、18「いろいろな言葉」
60「言葉の音（おん）」

問題13　分野：図形（展開）

〈準 備〉　クーピーペン（青）

〈問 題〉　左側の絵の色がついている部分を切り取って広げると、どのような形になりますか。右の絵の中から選んで、下の四角に○をつけてください。

〈時 間〉　各15秒

〈解 答〉　下図参照

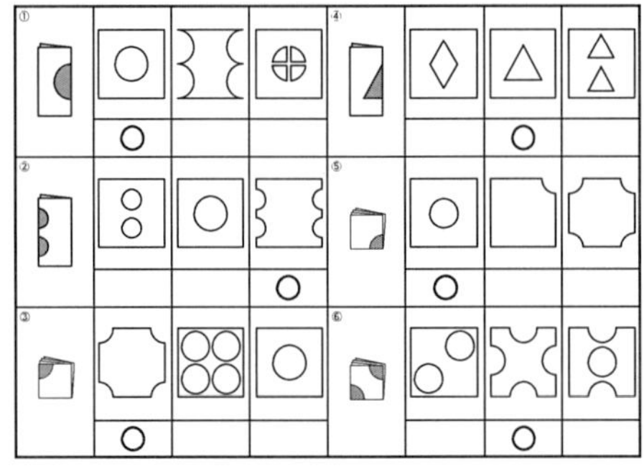

［2022年度出題］

学習のポイント

この問題も答え合わせをお子さま自身にさせましょう。実際に紙を用意し、問題と同じように折り、切り取ります。そして、展開した形と選択したものが同じなら正解です。この問題のポイントはここからになります。正解した場合、他の物は何処が違うのか、どのように折って切り取るとこのような形になるのかと実践することで、論理的思考力を鍛えることができます。そして、間違えたお子さまは、何処がいけなかったのかを確認しましょう。このように問題を解いあと直ぐに確認をすることはよいことです。時間が経ってから同じことをしても、お子さまの中で過去の出来事になってしまい、なかなか、修得には到りません。鉄は熱いうちに打てではありませんが、問題を解いた直ぐ後の確認は、この問題に限らず、学習には有効であることを覚えておいてください。同時に、学習時間が延びるので、お子さまの集中力の伸長にも役立ちます。良いことづくめということです。

【おすすめ問題集】

Ｊｒ・ウォッチャー５「回転・展開」

家庭学習のコツ②　効果的な学習方法～問題集を通読する

過去問題集を始めるにあたり、いきなり問題に取り組んではいませんか？　それでは本書を有効活用しているとは言えません。まず、保護者の方が、すべてを一通り読み、当校の傾向、ポイント、問題のアドバイスを頭に入れてください。そうすることにより、保護者の方の指導力がアップします。また、日常生活のさまざまなことから、保護者の方自身が「作問」することができるようになっていきます。

問題14　分野：数量（数の構成）

〈準備〉　クーピーペン（青）

〈問題〉　左の絵の袋をあけると、右の絵のようになります。袋の中にはいくつ入っていますか。その数だけ下の四角に○を書いてください。

〈時間〉　各15秒

〈解答〉　下図参照

①	④
○○	○○○○○
②	⑤
○○○○	○○○○
③	⑥
○○○	○○○○○

［2022年度出題］

学習のポイント

この問題は、逆に考えていくと問題なく解ける問題です。問題を解く場合、問われている内容から言われたとおりに考えると難しい問題だが、逆に考えると簡単に解ける問題は意外と多くあります。先ほどのしりとりの問題も同じです。この問題も合計数から見えている果物の数を引けば袋の中の数が分かります。解き方を言われたら、簡単な問題になるのですが「これを袋と見えている果物とを足して」と考えていくと、難しい問題になってしまいます。問題を解くにあたり、観点の転換は必要な力の一つとなります。この方法、この考え方がダメなら別の方法で答えを見つけることができると、詰まったときに役立ちますが、それができないと、できない問題があるとその問題に引っかかり、先に進めないということがよくあります。保護者の方は、お子さまに、観点の転換を促す言葉掛けを取り入れることをおすすめいたします。

【おすすめ問題集】

Ｊｒ・ウォッチャー14「数える」、15「比較」
38「たし算・ひき算1」、39「たし算・ひき算2」

問題15　分野：お話の記憶

〈準備〉　クーピーペン（青）

〈問題〉　明日はしゅんくんの幼稚園の遠足の日です。みんなでバスに乗って動物園に行きます。しゅんくんは明日の遠足の準備をしました。リュックサックの中にハンカチとティッシュ、おやつ、被っていく帽子を詰めていきました。まき子先生は「ビニール袋も持ってきてくださいね」と言っていましたがしゅんくんは入れませんでした。「明日のおやつは何にしよう？」しゅんくんはお母さんと相談してクッキー3枚とゼリー2個をもっていくことにしました。次の日の朝、しゅんくんはわくわくして起きました。お母さんがお弁当と水筒を用意してくれました。しゅんくんは1つ1つ確認しながらリュックサックに詰めていきます。「お弁当、水筒、ハンカチ、テイッシュ、おやつはクッキー3枚とゼリー2個、まき子先生が言っていたビニール袋も入れた。これで忘れ物はないよ。」しゅんくんは「いってきます」というと、元気に幼稚園に行きました。幼稚園では、まき子先生がみんなを待っていました。「おはようございます。みんな元気ですか？今日は皆さんが楽しみにしていた遠足です。動物園に行ってたくさんの動物さんに会うことができますよ。行きも帰りもバスに乗って行くので、みんな先生のお話しをよく聞いて行動してくださいね。」動物園に着くと、初めにサル山に行きました。たくさんのサルたちが元気に走り回っています。サル山のてっぺんには3匹のサルがリンゴを上手に食べているのが見えました。次にゾウを見ました。2頭のゾウの名前は「たろう」と「はなこ」といいます。「たろう」はお花を食べていて「はなこ」は長い鼻を使ってバナナを食べていました。お弁当の時間になりました。しゅんくんはななちゃん、わたるくん、さくらちゃんといっしょにお弁当を食べました。しゅんくんはから揚げが大好きなので、お弁当に入れてもらっていました。ななちゃんが「しゅんくんのから揚げ美味しそう」と言ってくれました。「私のお弁当はハンバーグとウインナーとミニトマトとおにぎりよ。」「ななちゃんのお弁当もおいしそうだね。」とお話をしながら、みんなで仲良くお弁当を食べました。「さあ、次はどの動物を見に行く？」しゅんくんは「ぼくはトラが好きだからトラが見たいなあ」「私はクマが見たいわ」とさくらちゃんが言いました。そこでクマのところに行きましたが、クマはお昼寝中で動かなかったので、楽しみにしていたさくらちゃんは残念がっていました。ライオンとトラも見ました。トラは本当に強そうで、しゅんくんはドキドキしながら見ました。ほかにもキリンやウサギも見ました。首の長いキリンが2頭いました。思っていたよりとても背が高くてびっくりしました。たくさんの動物を見ることができて、しゅんくんはとても楽しかったです。幼稚園にはまたバスに乗って帰りました。「今日は本当に楽しい遠足だったな。またみんなで行きたいな。」としゅんくんは思いました。

①しゅんくんが遠足に行った場所はどこでしょう。○をつけてください。
②サル山で山のてっぺんでリンゴを食べていたサルは何匹だったでしょう。その数だけ○を書いてください。
③しゅんくんが遠足の準備の時、前の日の夜にリュックの中に入れなかったものはどれでしょう。選んで○をつけてください。
④しゅんくんが好きな動物はどれでしょう。選んで○をつけてください。
⑤しゅんくんが遠足に持って行ったおやつはどれでしょう。選んで○をつけてください。
⑥ななちゃんのお弁当はどちらでしょう。選んで○をつけてください。

〈時間〉　各15秒

〈解答〉　①左から2番目（動物園）　②○３つ　③左端（ビニール袋）　④右端（トラ）　⑤左から2番目　⑥左

［2022年度出題］

長いお話が出題されていますが、お話の記憶に関する力は一朝一夕には身に付きません。また、お話の記憶の力は読み聞かせの量に比例するともいわれています。お話の記憶はポイントとなる所を記憶するのではなく、お話全体を記憶し、あとから思い出して解答を導き出します。ですから、お話全体を記憶できないと、複雑な問いに対して対応できなくなってしまいますし、一度、混乱してしまうと記憶が全て飛んでしまうことはよくあることです。そのようなことを回避するために、読み聞かせの量を増やし、記憶する力を伸ばします。お子さまの記憶方法は、大人とは違い、お話をイメージとして記憶します。その後、頭の中にイメージを思い出して解答する方式が一般的と言われています。先ずは、好きなお話、短いお話から読み聞かせを始め、少しずつ、長くなるようにしましょう。絵本を読み聞かせるときは、徐々に、抑揚をつけずに読むようにしてください。入試でのお話は抑揚がつきません。

【おすすめ問題集】

Ｊｒ・ウォッチャー19「お話の記憶」、１話５分の読み聞かせお話集①・②
お話の記憶 初級編・中級編・上級編

問題16　分野：巧緻性

〈準 備〉　クーピーペン（青）、ハサミ

〈問 題〉　（問題16の絵を渡す）
絵の点線のところを、クーピーペンでなぞってください。
外側の太い線に沿って、ハサミで切り取ってください。

〈時 間〉　５分

〈解 答〉　省略

［2022年度出題］

学習のポイント

点線部分をなぞりますが、指定された線だけなぞったでしょうか。ハサミで切るときは、バスの外側の線を切れたでしょうか。指示は２つだけしか出ていませんから、この指示を確実にこなせなければいけません。たくさんの指示が出されている中で一つの間違う場合と、指示が少ない状態でミスを犯すのとでは、ミスの重みが違います。問題をよく聞き、しっかりと対応できるようにしましょう。また、人と一つを丁寧に、早く大なうことを目指してください。丁寧にするあまり、解答時間が終わってしまっては良い点はとれません。また、保護者の方はお子さまのハサミの使い方終わったあとの状況についてもしっかりと確認しましょう。ハサミが開いた状態で置かれていると、怪我をする場合があります。同じようにハサミの渡し方なども一緒に指導するとよいでしょう。

【おすすめ問題集】

Ｊｒ・ウォッチャー23「切る・貼る・塗る」、24「絵画」、
51「運筆①」、52「運筆②」、実践 ゆびさきトレーニング①②③

問題17　分野：行動観察

〈準備〉　ラケット、ボール、三角コーン、ボールを入れるカゴ

〈問題〉　**この問題の絵はありません。**

2人組で行う。

・それぞれラケットを持ち、ボールを上下からはさんでおさえます。
・ボールが落ちないようにしながら移動し、三角コーンを回って元の位置へ戻ります。
・移動する際、手など体を使ってボールを押さえてはいけません。
・ボールを落とした場合は、ボールを手で拾い、落としたところからり直します。
・元の位置に戻ってきたら、ラケットとボールを次の2人に渡し、列の後ろに並びましょう。
・2回順番が回ってくるまで行います。最後の人は、ボールをカゴの中に入れてください。

〈時間〉　適宜

〈解答〉　省略

[2022年度出題]

学習のポイント

初めて会ったお友達との共同作業は、意思の疎通しにくく、がなかなか上手くはいきません。お子さまにとりましては難しい環境下での課題となります。この問題では、勝敗ではなく、協調性、意欲、ルールの遵守、待っているときの態度などが主な観点となります。対策として、待っているときの態度まで考えて取り組んでいる方は少ないのではないでしょうか。待っているときの態度は、差が付く観点の一つとも言われるほど、重要なポイントとなっています。問題の方に目を向けると、このゲームは、2人の呼吸が合わないと上手くはできません。失敗したときにどのようにするのかも観点の一つとなっているでしょう。失敗をしたとしても焦らず、指示されていることを守って再開すれば問題はありません。また、競争などをすると、勝敗を焦るあまり約束を破ったり、ズルをするお子さまがいますが、それらの行為は厳禁です。しっかりとルールは守って行いましょう。

【おすすめ問題集】

Ｊｒ・ウォッチャー28「運動」、29「行動観察」、新運動テスト問題集

問題18　分野：巧緻性

〈準備〉　クーピーペン（青色）

〈問題〉　問題18の絵をクーピーペンで塗ってください。
次の考査までの待ち時間で行われました。

お約束をいいますので、しっかりと聞いて行ってください。
・席を立たないでください。
・おしゃべりをしないでください。
・トイレに行きたいときや、おなかが痛いときは、静かに手を挙げてください。

〈時間〉　適宜

〈解答〉　省略

［2022年度出題］

学習のポイント

青一色のクーピーで、ロケットをどのように塗ったでしょう。その中に工夫が見られると素晴らしい作品となります。この内容はルールを守って時間を過ごすことができるかという観点に基づいて行われていると思います。この課題は、待ち時間の穴埋めとして行っている要素が強いため、減点はあっても、加点されにくい内容といえるでしょう。このような場合、ここでの減点は絶対に避けなければなりません。そのためには、事前に説明されたお約束を厳守してください。そして盲点はトイレに行ったときです。他人が行ったからとズルズル行くのはよくありません。また、移動中はふざけたりせず、静かに移動しましょう。ハンカチはちゃんと持っていますか。忘れ物については事前にチェックをしておきましょう。

【おすすめ問題集】
Ｊｒ・ウォッチャー23「切る・貼る・塗る」、24「絵画」
実践 ゆびさきトレーニング①②③

問題19　分野：行動観察

〈準備〉　スポンジ（水を含んだもの）複数個、箸、平皿２枚、点線を描いた画用紙（２枚）
平皿は画用紙上に置いておく。この時平皿は点線の中にセットする。

〈問題〉　**この問題は絵を参考にして下さい。**
お皿の上に置かれている濡れたスポンジを、お箸を使って、もう１つのお皿に1個ずつ移してください。お皿は、点線からはみ出さないようにしましょう。全部移し終わったら、手を挙げてください。

〈時間〉　３分

〈解答〉　省略

［2022年度出題］

学習のポイント

以前、箸使いは「豆つかみ」として頻出問題として挙げられていました。しかし、近年、「豆」を用いた箸使いのテストを実施する学校は減っています。その理由は「豆を用いた場合、つかめる子どもが少ないから」という理由でした。そして、学校が気にしていることは、保護者の方で箸がきちんと持てない人が増えている。という点です。そしてその状況は、「親子面接で親子で箸使い」のテストをしようかと真剣に考えている学校も出てきているという点です。当校では、豆ではなく水に濡らしたスポンジを使用しています。重さがあることから、しっかりと掴まなければ持ち上げることはできません。正しく箸を持ち、力加減も含めた練習をしましょう。箸使いで注意したいのは、箸の上に乗せて移動させるのは、掴むとは違います。しっかりと箸で掴んで移動させてください。

【おすすめ問題集】

Ｊｒ・ウォッチャー29「行動観察」、56「ルールとマナー」

問題20　分野：口頭試問

〈準備〉　なし

〈問題〉　**この問題の絵はありません。**

お話を聞いて、後の質問に答えてください。答えるときは手を挙げて、呼ばれてから答えましょう。

お話の内容「アフガニスタンで活動した日本人医師　中村哲先生のお話」

（質問）
・山に登ったことはありますか。
・あきらめずにがんばったことはありますか。

〈時間〉　適宜

〈解答〉　省略

［2022年度出題］

学習のポイント

志願者の中でアフガニスタンで活躍した、故　中村医師の存在を知る人は殆どいないと思います。ですから、お子さまに取りましては、興味のある話ではないかもしれません。だからといってお話をしっかりと聞いていないと、その後の質問には答えることができません。また、興味のない話だと、集中力が切れてしまう可能性が高まります。その状況下でお話を最後まで聞く集中力を身につけるのは大変だと思います。この問題は、お話の記憶というよりも、感想を聞く、お話を聞き自分に関連づけることが求められています。この問題のポイントは、お話を聞くこと以外に、人に関心が持てるかというポイントがあります。お子さまが人に関心を持つには、保護者の方が率先してお手本を示すしかありません。人との関わりを持たずに小学校生活は送れません。その点を考慮し、積極的に人と関わるように意識をしましょう。先ずは、挨拶から始めてみてはいかがでしょう。

【おすすめ問題集】

１話５分の読み聞かせお話集①・②、新口頭試問・個別テスト問題集
口頭試問最強マニュアル 生活体験編

〈福岡教育大学附属福岡小学校〉
〈福岡教育大学附属久留米小学校〉
〈福岡教育大学附属小倉小学校〉

※問題を始める前に、本書冒頭の「本書ご使用方法」「本書ご使用にあたっての注意点」をご覧ください。

※本校の考査は鉛筆を使用します。間違えた場合は消しゴムで消し、正しい答えを書くよう指導してください。

**保護者の方は、別紙の「家庭学習ガイド」を先にお読みください。
当校の対策および学習を進めていく上で役立つ内容です。ぜひご覧ください。**

2023年度の最新問題

問題21　分野：図形（重ね図形）

〈準備〉　鉛筆

〈問題〉　**この問題の絵は縦に使用して下さい。**
いくつかの形が重なっています。この中で下から2番目に重なっている形を探して下の四角の中に○を付けましょう。

〈時間〉　各15秒

〈解答〉　下図参照

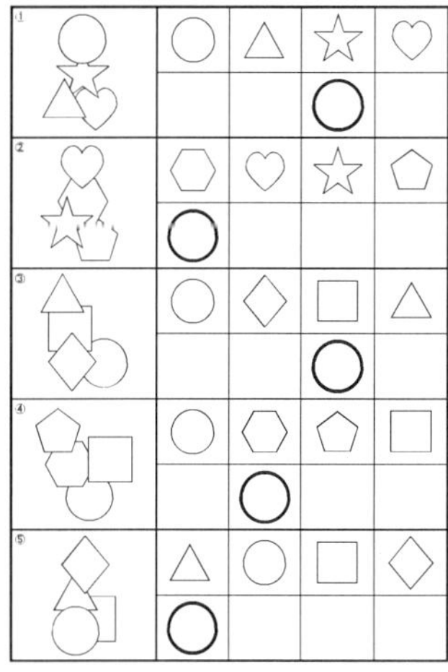

弊社の問題集は、同封の注文書のほかに、
ホームページからでもお買い求めいただくことができます。
右のQRコードからご覧ください。
（福岡教育大学附属小学校のおすすめ問題集のページです。）

学習のポイント

この問題の学習は、正答することを目的とするよりも、どの順番で重なっているかを理解することに尽力しましょう。そのように学習をすることで、問われる内容（重なっている順番）が変わっても対応できるようになります。このような問題の場合、保護者の方が答え合わせをするのではなく、実際にものを使用し、お子さまに確認させましょう。そうすることで、問題を解くための着眼点などを発見、理解することができます。一見すると遠回りのような学習に見えるかも知れませんが、実は、理解度が深まります。保護者の方は正解だけを求めるのではなく、理解を求めた学習を心がけていただきたいと思います。図形分野全般的なことですが、図形分野の問題を解くのに、集中力、空間認識力、論理的思考力が必要な分野といわれています。しかし、家庭学習をするときは、難しく捉えるのではなく、説明を短く、簡単にすることで苦手意識を持たせずに学習することが理解度アップのポイントです。

【おすすめ問題集】

Ｊｒ・ウォッチャー35「重ね図形」

問題22　分野：言語（音の位置）

〈準備〉　鉛筆

〈問題〉　**この問題の絵は縦に使用して下さい。**
●の場所の音と同じ音で始まるものを探して、○をつけてください。

〈時間〉　各15秒

〈解答〉　下図参照

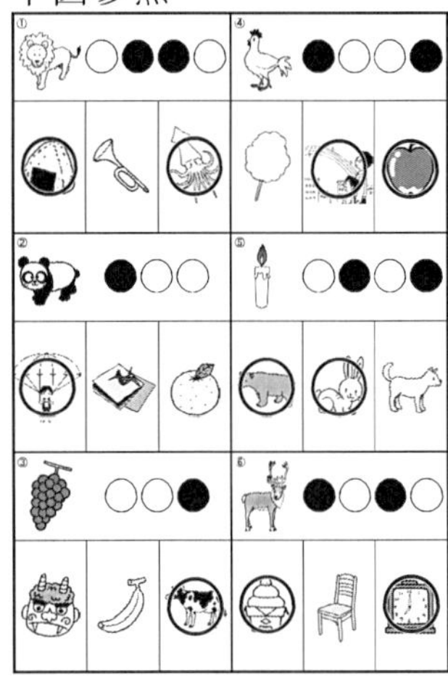

学習のポイント

言語系の問題としては、オーソドックスな問題です。同じように同類語、同尾語の問題も小学校入試においては基本的な問題といえるでしょう。その点から、この問題は全問正解したい問題の一つです。チェックポイントとしては、描かれてある絵の名称を全て正しく言える稼働か確認をしてください。もし、分からないものがあった場合、その場でしっかりと教えてあげてください。この時、単に名称だけを教えるのではなく、関連した知識を一緒に教えてあげることで、お子さまの記憶に残りやすくなります。こうした物の名前などは、日常会話の中に積極的に取り入れ、語彙力を増やしていきくことをおすすめいたします。また、問題集には、色々な物が描かれてます。それらの絵を名前を言う絵として活用してみることもおすすめです。

【おすすめ問題集】
Ｊｒ・ウォッチャー17「言葉の音遊び」、18「いろいろな言葉」
ウォッチャー60「言葉の音（おん）」

問題23　分野：数量（異数探し）

〈準備〉　鉛筆

〈問題〉　**この問題の絵は縦に使用して下さい。**
３つの絵の中で数が違うものを選んで、左の四角の中に○を描いてください。

〈時間〉　各15秒

〈解答〉　下図参照

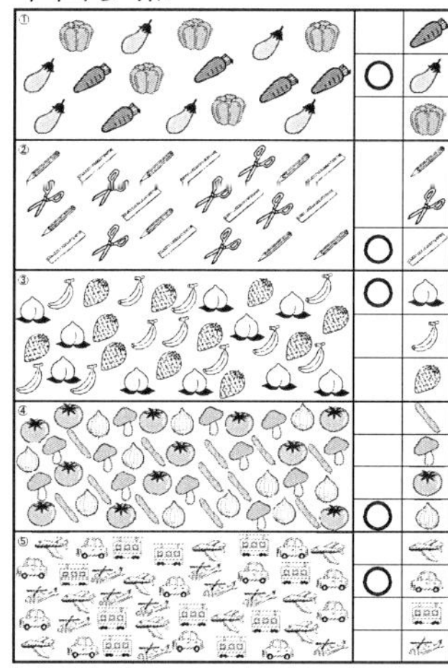

学習のポイント

前年に引き続き、異数の発見が出題されました。２年連続で出題されていることを考慮すると、数量に関する知識、特に数えて比較する力を求めていることが分かります。それだけ重要視しているのであれば、数に関する知識を強めることは必然でとなり、取り組む問題の量も増えることになるでしょう。ただ、この場合、単に学習量を増やすのではなく、理解することも同時に取り組まなければなりません。そこでおすすめするのは、先ずは、具体物を使用して理解度を高めます。次に類似問題を3問続けて行う方法です。よく、２問連続して行うとよいといわれますが、そこをもう一問多く取り組み、お子さまの学力の定着を図ります。ま、この問題に限らず、子どもは学習したこともしばらく経つと忘れてしまいます。ですから、定期的な学習も忘れないようにしましょう。これを繰り返していくことでお子さまの学力の伸長が図れます。

【おすすめ問題集】

Ｊｒ・ウォッチャー36「同数発見」、37「選んで数える」

問題24　分野：集団行動

〈準備〉　机、おはじき、お皿（おはじきを入れるためのもの）

〈問題〉　**この問題の絵はありません。**

７～８人のチームに分かれて行う。

・机の中心に四角が書いてあります。この四角の中に机の周りのからおはじきをはじいて入れてください。
・おはじきはお皿に乗せて一人1回ずつ順番に隣の人に回していきます。
・おはじきが　机の下に落ちたりしたり、四角の中に入らなかったときは、ｓそのまま隣の人にお皿を回してください。
・先生が「止めてください」といったら、途中でも止めて片付けてください。
・終わったらお友達の目をみて「ありがとうございました」と言いましょう。

〈時間〉　適宜

〈解答〉　省略

学習のポイント

昔はこのような遊びをたくさんしたと思いますが、今のお子さまは経験したことがないという人が大半だと思います。この場合、力加減と工夫が必要です。1回枠の中に入ったら良いというのではなく、止めと言うまで順番に繰り返します。ですから、失敗したとしても、次はどうすれば良いのか、考える時間もあり、試す回数もあります。自分で何がいけなかったのか、どうすればよかったのかを考え、思考錯誤することを身につけてください。と申し上げるのも、上手く行かなかったからといって、態度に出すことはよくありません。このテストも、上手く行かなかったときにどのような行動に出るのかを観る問題でもあります。また、枠の中に入れるために、ルールを破るお子さまもいます。こうしたルールの厳守も大切です。自分勝手な言動をとるのではなく、周りのお友達との協調性も考慮した言動が求められる問題となっています。最後の片付け、挨拶もできたか確認してください。

【おすすめ問題集】

Ｊｒ・ウォッチャー29「行動観察」

問題25　分野：集団行動

〈準備〉　問題25-1の絵を切り取って貼っておく。
三角コーン、白いテープ

〈問題〉　**この問題は絵を参考にして下さい。**

・好きな遊びは何ですか。４つの絵の中から選んで、教えてください。
・コーンを囲むように床に貼られた白いテープの上に立ちましょう。

（グループで質問）

・８人グループでコーンの周りに立ってください。このとき、コーンの方向を向いて立ってください。これから、指示を言いますので、その通りにしましょう。
・「立ってください。」と言われたら立ちます。「座ってください。」と言われたら座ります。（数回、指示を繰り返す）
・自分の好きな動物を順番にみんなに教えてください。そのとき、それを選んだ理由も教えてください。答えるときは立って言います。言い終わったら座ります。
・２回目は手を挙げて「どうぞ」と言われた人が答えられます。

〈時間〉　適宜

〈解答〉　省略

学習のポイント

昨年は同じ問題で、絵が公園にある遊具でした。今年は家の中で遊ぶ玩具などが問題として取り上げられています。描かれてある内容こそ違えど、求められていることは同じです。機敏性、指示の遵守、協調性、など、求められている力や基本的な内容は同じです。これらの力は一朝一夕で身に付く力ではありません。毎日コツコツと積み重ねた結果として行動に表れます。また、昨年もこのテストは昼食の前に行われました。集中力が切れる時でもあり、態度面は大丈夫ですか。当校の試験時間は長いため、集中力を切らさないことが対策の一つと言えるでしょう。ペーパーテストから行動面に移るこのテストをどのように乗り越えるか、重要なテストと言えます。ここで崩れてしまうようでは、お昼を挟んだ午後のテストは大変な状態になってしまいます。

【おすすめ問題集】
Ｊｒ・ウォッチャー29「行動観察」

問題26　分野：行動観察（昼食）

〈準備〉　昼食

〈問題〉　**この問題の絵はありません。**
志願者だけで、体育館前方に用意された椅子に座って昼食を食べる。

〈時間〉　適宜

〈解答〉　省略

学習のポイント

本年も昼食を挟んで入試は午後まで行われました。そういう意味では、この昼食の時間をどのように過ごすかは重要といえるでしょう。昼食といえども、子ども達だけで椅子に座ってお子さま達だけで過ごします。その時食べ方、姿勢、態度なども観られています。昼食は休憩時間ではありません。その時間もチェックが入ることも忘れないようにしましょう。この昼食ですが、普段の昼食とは違い、食べやすいもので、量も少なめにしましょう。残すことはよくありませんし、かといって時間ギリギリに食べ終わるのもよくありません。お腹がある程度満たせて、時間的に余裕を持った状態で終われる量がおすすめです。また、好き嫌いがあるお子さまの場合、その日は入試ですから、嫌いな物は入れないようにしてあげてください。食事は保護者の方の応援でもあります。

【おすすめ問題集】
Ｊｒ・ウォッチャー30「生活習慣」

問題27　分野：口頭試問

〈準備〉　なし

〈問題〉　**この問題の絵はありません。**
お教室の外に先生が座っているので、呼ばれた人は廊下に出ていき、質問に答えてください。
・朝ごはんは何を食べましたか。
・今日は何に乗ってきましたか。

〈時間〉　即答

〈解答〉　省略

学習のポイント

当校は志願者の面接テストがありません。この口頭試問が面接の役割を果たしています。しかし、そのチェックはこの問題だけでチェックをされているのではなく、全体を通して、お子さまの対応を観られていると考えた方がよいでしょう。この問題で忘れてはいけないことは、二つ目の質問です。今日は何に乗ってきましたか。という質問です。入試において自家用車の使用は極力控えた方がよいと思います。まして学校側から公共交通機関を使用してくださいと注意があった場合、このような質問で来校手段がバレてしまいチェックをされてしまいます。このようなミスは、たかが1回とはなりません。学校側のお願いを聞かない自己中心的な言動をとる可能性がある家庭と捉えられてしまいます。学校側は、入学後の６年間を見据えて評価をしていることを忘れないでください。

【おすすめ問題集】
新口頭試問・個別テスト問題集、口頭試問最強マニュアル　生活体験編

問題28　分野：口頭試問

〈準備〉　部屋が散らかっている絵

〈問題〉　（絵を見せる）
・どこをお片付けしますか。
・このお部屋のどこを片付けたらよいですか。
思いつくだけ答えてください。

〈時間〉　適宜

〈解答〉　省略

学習のポイント

絵を見て何処をかたづけるかという質問がされてますが、この質問は評価が二分する結果になったと推測できます。その理由ですが、みなさんは結果的に答えられたかどうかで判断されていると思いますが、学校側は、回答までの時間もチェックしていると思います。その理由ですが、普段から片付けをしているお子さまは、絵を見ても直ぐに反応できると思います。しかし、普段、片付けをしていないお子さまは、回答を求めるための考える時間が必要になるでしょう。時間にすると少しの違いですが、評価としての差は大きく捉えられてしまいます。何より、この評価はお子さまのみならず、保護者の方の躾感としても評価されることにつながりかねません。特にこれだけペーパー以外の内容が多いと、お子さまの日常生活が随所に表れると言っても過言ではありません。もう一度、日常生活を見直しましょう。

【おすすめ問題集】
新口頭試問・個別テスト問題集、口頭試問最強マニュアル 生活体験編

問題29　分野：巧緻性（絵画）

〈準 備〉　画用紙１枚、クーピーペン

〈問 題〉　**この問題の絵はありません。**
（口頭試問が行われている間に実施）
この紙に好きな絵を描いてください。描き終わったら、裏側も使って絵を描いてください。

〈時 間〉　適宜

〈解 答〉　省略

学習のポイント

今年も、面接テストの待ち時間を利用して、自由画が行われました。例年行われている内容ですから、事前に対策を取ってから臨むようにしましょう。描く絵は何でも構いませんが、家族で楽しんだこと、園行事などがいいと思います。だからと申し上げて、必ずそれでなければならないとは限りません。他にも何かよい経験があれば、それを描いても良いでしょう。ただ、アニメーションやキャラクターなどは避けたい内容です。その理由ですが、入試というばですから、アニメーションやキャラクターがその場に相応しいかは考えれば分かると思います。自由画ですからのびのび描いていただきたいと思います。配色、描いた内容から、見た人がワクワクするような生きた線の絵が欲しいと思います。そのためにはお子さま自身がワクワクする気持ちでいることが大切です。保護者の方は、お子さまがその様な気持ちで入試に臨める環境を作ってあげてください。

【おすすめ問題集】
Ｊｒ・ウォッチャー22「想像画」、24「絵画」

2022年度の過去問題

問題30　分野：図形（四方からの観察）

〈準 備〉　鉛筆

〈問 題〉　左の形を作るときに使うものを２つみつけて、下の四角に○をつけてください。ただし、積み木を倒したり、回転させてはいけません。

〈時 間〉　各15秒

〈解 答〉　下図参照

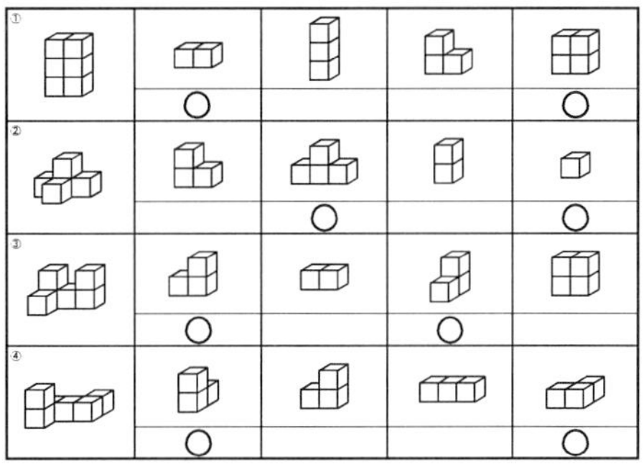

［2022年度出題］

学習のポイント

この問題は、お子さまには難易度の高い思考を求められます。まずは積み木の数が幾つで構成されているのかを正確に把握しなければなりません。その上で、組み合わせてお手本と同じ積み木を作らなければなりません。積み木の数に関しては、この問題に描かれてある積み木を数えられればいいのではなく、見えない積み木の存在を把握し、数えられるようにしましょう。次に組み合わせて積み木を作るとき、先ずは、お手本の形をよく見て特徴を捉えます。その後、何処と何処が接するのかを考えますが、このような論理的思考を必要とする問題の場合、分からないお子さまに言葉で説明しても、なかなか理解はできないと思います。その様な場合、積み木を両面テープなどで止めて形を作り、実際に合わせてみるとよいでしょう。積み木を作る作業中でも形の把握ができ、学習効果が上がります。

【おすすめ問題集】

Ｊｒ・ウォッチャー14「数える」、15「比較」、16「積み木」

問題31　分野：言語

〈準備〉　鉛筆

〈問題〉　左の絵の●の音と右の絵の●の音が同じものを選んで、○をつけてください。

〈時間〉　各15秒

〈解答〉　①右端（風鈴）　②右から２番目（ラッコ）　③左から２番目（クラゲ）
④右から２番目（ポスト）

［2022年度出題］

学習のポイント

特別難易度の高い問題ではありませんが、このような問題の場合、描かれてある絵の名称を知らないと手も足も出ません。描かれてある絵だけでなく、小学校受験においてよく出てくる絵については名称を言えるようにしましょう。この基本ができていれば、あとは、名前を頭の中で言いながら問題を解いていきます。今、頭の中でと書きましたが、問題を解く場合、声に出して解く方法はおすすめできません。入試の際、声に出して考えていると、先生から注意を受けます。入試中の注意ですが、このような場合の注意は特別なことではなく、その後、改めれば問題はありません。しかし、入試の最中に先生から注意を受けるということは、精神的に大きなダメージを受けます。それが、他の問題にも影響することがよくあることから、このような注意をされないような対策を取らなければなりません。このような対策として、頭の中でとアドバイスさせていただきました。

【おすすめ問題集】

Ｊｒ・ウォッチャー17「言葉の音遊び」、18「いろいろな言葉」
60「言葉の音（おん）」

問題32　分野：数量

〈準備〉　鉛筆

〈問題〉　３つの絵の中で数が違うものを選んで、隣の四角の中に○を描いてください。

〈時間〉　各15秒

〈解答〉　下図参照

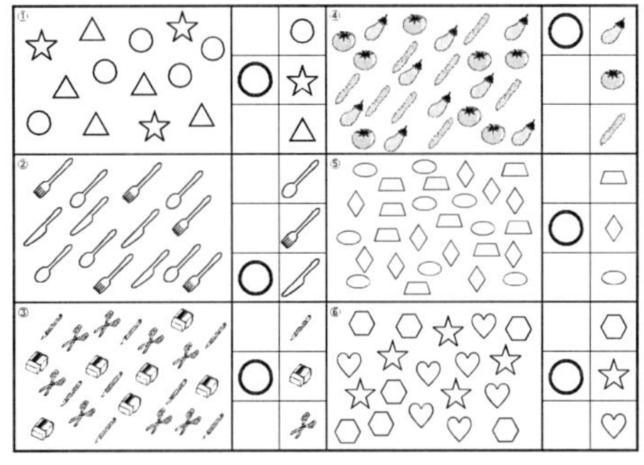

[2022年度出題]

学習のポイント

数量問題を解く上において重要なことは、数を早く、正確に数える力です。数量問題で間違える代表的なミスとして「重複して数える」「数え忘れ」があります。先ずは、このミスがないように早く、正確に数えることを修得してください。
この問題を解く力は同数発見と同じです。ただ、この問題においては、同数のものではなく、違う数のものを問われています。このような問題におけるミスですが、得意分野としているお子さまに多くみられるミスの一つです。そのパターンですが、問題を最後まで聞きかずに途中まで聞いたところで、早合点して問題に取り組んでしまうために誤解答となってしまうことです。近年、人の話を最後まで聞けない子どもが多いといわれてますが、話を最後まで聞けない場合、他の問題も影響を及ばします。

【おすすめ問題集】
Ｊｒ・ウォッチャー36「同数発見」、37「選んで数える」

問題33　分野：運筆

〈準備〉　鉛筆

〈問題〉　両側の○の薄い線を、他の濃い線にぶつからないように、鉛筆でなぞってください。

〈時間〉　１分

〈解答〉　省略

[2022年度出題]

学習のポイント

描かれてある線の上をなぞる問題です。このような問題の場合、なぞった結果も大切ですが、筆記用具の持ち方、線を書くときの筆記用具の運び方、筆圧、姿勢など、結果以外にも着眼するところは多々あります。また、なぞりですから元々描かれてある線から脱線することはよくありません。丁寧に書くからといって、線を描くスピードが遅いのも好ましくはありません。運筆が苦手なお子さまの場合、先ずは、筆記用具の持ち方が正しいか、次に手首の使い方が上手にできているかを確認しましょう。多くの場合、このどちらかができていないことが原因となっていることが挙げられます。なぞりに関しては、練習を重ねることでスピードもアップしてきますから、焦らず、毎日コツコツと取り組みましょう。

【おすすめ問題集】
　Ｊｒ・ウォッチャー51「運筆①」、52「運筆②」

問題34　分野：行動観察

〈準備〉　白いテープ（目印用）、机、模様が描かれたカード

〈問題〉　**この問題は絵を参考にして下さい。**
６～８人のチームに分かれて行う。

- 右の机の上に並べられたカードの束から1つ取ってください。
- 左の机の前の床に白いテープが貼ってあります。その場所に立ってください。
- 左の机にお手本のカードが並べてあります。グループで話し合い、お手本の通りにカードを並べてください。
- 置く順番はグループで話し合って決めましょう。
- 先生が「止めてください」というまで続けてください。
- 終わったらみんなで「ありがとうございました」と言いましょう。

〈時間〉　適宜

〈解答〉　省略

［2022年度出題］

学習のポイント

集団行動などは、試験当日に初めて会ったお友達と、共同作業をしなければなりません。そして、観点としては、指示やルールの厳守、積極性、人との関わりなどが観られます。これらをスムーズに行い、結果も求められるのですからお子さまに取りまして難しいと思います。積極的に取り組むあまり、周りのお友達の存在を忘れたり、止めの合図を聞き漏らしたりすることはよくありません。コロナ禍の生活を余儀なくされてきたお子さまは、生活体験、人との関わりの経験が少ないと言わざるを得ません。しかし、その環境はみな同じであり、違いが生じるのは保護者の方の躾感の違いになります。特に、コロナ禍になってから、このような問題で大きな差が生じると言われていますが、当校も例外ではないと思います。その様な点を考慮し、しっかりと対策をとりましょう。

【おすすめ問題集】
　Ｊｒ・ウォッチャー６「系列」、29「行動観察」、31「推理思考」

問題35　分野：行動観察（集団行動）

〈準 備〉 問題35-1の絵を切り取って貼っておく。
三角コーン、白いテープ

〈問 題〉 **この問題は絵を参考にして下さい。**
・好きな遊びは何ですか。４つの絵の中から選んで、教えてください。
・コーンを囲むように床に貼られた白いテープの上に立ちましょう。

（グループで質問）
・８人グループでコーンの周りに立ってください。このとき、コーンの方向を向いて立ってください。これから、指示を言いますので、その通りにしましょう。
・「立ってください。」と言われたら立ちます。「座ってください。」と言われたら座ります。（数回、指示を繰り返す）
・自分の好きな動物を順番にみんなに教えてください。そのとき、それを選んだ理由も教えてください。答えるときは立って言います。言い終わったら座ります。
・２回目は手を挙げて「どうぞ」と言われた人が答えられます。

〈時 間〉 適宜

〈解 答〉 省略

［2022年度出題］

学習のポイント

この問題は難易度が高く、差が生じる問題だと思います。その理由ですが、指示が出されたとき機敏に動けたか、指示通りに動けたかもさることながら、自分が遊びたいものと、その理由をしっかりと述べることができ、その後、隣のお友達への質問もしなければなりません。入試ではこれらを一連の動作として行いました。指示が多く、お子さまに取りましては大変な課題だと思います。しかもこのテストは午前中の最後に行われましたので、緊張感の持続による疲労感も出ていたことでしょう。このような問題の場合、取り組む内容に注視してしまいますが、実は待っているとき、自分がしていないときの態度で差が付くとも言われています。緊張感が切れた状況での待つことは、とても難しく自制心がものを言います。このようなことも考慮して日常生活に取り入れてみましょう。

【おすすめ問題集】
Ｊｒ・ウォッチャー29「行動観察」

問題36　分野：行動観察（昼食）

〈準 備〉 昼食

〈問 題〉 **この問題の絵はありません。**
志願者だけで体育館前方に用意された椅子に座って昼食を食べる。

〈時 間〉 適宜

〈解 答〉 省略

［2022年度出題］

学習のポイント

問題として出題されている訳ではありませんが、食べているときの態度も観られていると考えてよいでしょう。もし、観察されていないなら、保護者の方と一緒に食べると思いますが、体育館で椅子に座ってお子さま達だけで食べました。食べ方、食べているときの姿勢、様子、食べ終えたあとが観られていると思います。その様なことを考えると、お子さまが食べやすい、サンドイッチ、おにぎりなどがおすすめです。また、量も考えましょう。たくさん食べ過ぎると午後の入試に影響しますし、残すことも良い印象は与えません。食べやすく、少し少なめに用意し、試験終了後、お腹が空いていたら、何か食べるようにするとよいでしょう。

【おすすめ問題集】

Ｊｒ・ウォッチャー30「生活習慣」

問題37　分野：常識（生活習慣）

〈準備〉　お友達が怪我をして泣いている絵

〈問題〉　（絵を見せる）
あなたと一緒に遊んでいるお友達が怪我をしました。あなただったらなんと声をかけますか。思いつくだけ言ってください。

〈時間〉　適宜

〈解答〉　省略

［2022年度出題］

学習のポイント

コロナ禍の生活を強いられたお子さまは、人との関わりが希薄だと言わざるを得ません。このような問題の場合、知識としての回答を求められているのではなく、体験にに基づいた回答、自分が思っている回答の方が好ましくなります。その理由ですが、事前に対策をしてきた内容の場合、その内容を言わなければという気持ちが前面に出てしまい、発言自体が軽んじた内容になってしまいます。面接テストと口頭試問テストはその点で共通しており、本人が思ったこと、考えたことを意欲的に話すことが求められます。お子さまと話をしていても、意欲を持って話しているときと、そうでないときとでは保護者の方も分かると思います。今、述べたことはそれと同じです。ですから、発言をするとき、お子さまが意欲的に話すことも重要になってきます。そのためには、正解を求めた対応ではなく、話すことが楽しいと思うことが大切になります。

【おすすめ問題集】

新口頭試問・個別テスト問題集、口頭試問最強マニュアル　生活体験編

問題38　分野：巧緻性

〈準備〉　細長い積み木複数個（８個以上）

〈問題〉　**この問題は絵を参考にして下さい。**
お手本の絵を見て、この通りに積み木を並べてください。

〈時間〉　約１分

〈解答〉　省略

［2022年度出題］

学習のポイント

この問題はコロナ禍のお子さまに対しては良問だと思います。この問題も前問同様にコロナ禍の生活がよく表れる問題といえるでしょう。と申しますのは、短時間で不安定な物を並べるのは、とても難しいもので、かつ、制限時間があり、結果も求められる訳ですから、焦りが生じます。焦ればなかなか上手くはいきません。まして、コロナ禍の自粛生活をどのように送ってきたかによって、失敗した後の対応に差が出ます。この状況は当校を受験する方に限ったことではなく、首都圏、関西圏の私立、国立を受験されるお子さまにも当てはまります。近年、このようなお子さまの素の状況が表れる状況、失敗をしたあとにどのような対応をするかを観る試験が頻出となっています。この状況を踏まえ、日常生活を見直してみましょう。

【おすすめ問題集】
Ｊｒ・ウォッチャー16「積み木」、29「行動観察」

問題39　分野：巧緻性（絵画）

〈準備〉　画用紙１枚、クーピーペン

〈問題〉　**この問題の絵はありません。**
（口頭試問が行われている間に実施）
この紙に好きな絵を描いてください。描き終わったら、裏側も使って絵を描いてください。

〈時間〉　適宜

〈解答〉　省略

［2022年度出題］

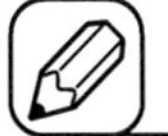

学習のポイント

口頭試問が行われている間の自由画ですが、単なる時間つぶしと捉えるのは性急です。自由画ですが、よく、細々した絵を周りにたくさん描くと、作品として、見栄えの良い感じ仕上がりますが、子どもらしい絵とは違ってしまいます。絵画についてどのような作品を求めているかを取材すると、「子どもらしい絵」と返答する学校が多く見られます。子どもらしい絵とは、線が生き生きしていること。一つひとつの絵がしっかりしていることなどが挙げられます。せっかくの自由画なのですから、描いている本人が楽しくなるような絵を描くようにしたいものです。描いた本人が、描いて楽しかったと思えるような絵をかける環境作りに努めていただきたいと思います。また、使用した色数も大切です。少ない色数でかくよりも、色々な色を使用して楽しい作品になるよう心がけてましょう。

【おすすめ問題集】

Ｊｒ・ウォッチャー22「想像画」、24「絵画」

☆西南学院小学校

問題1

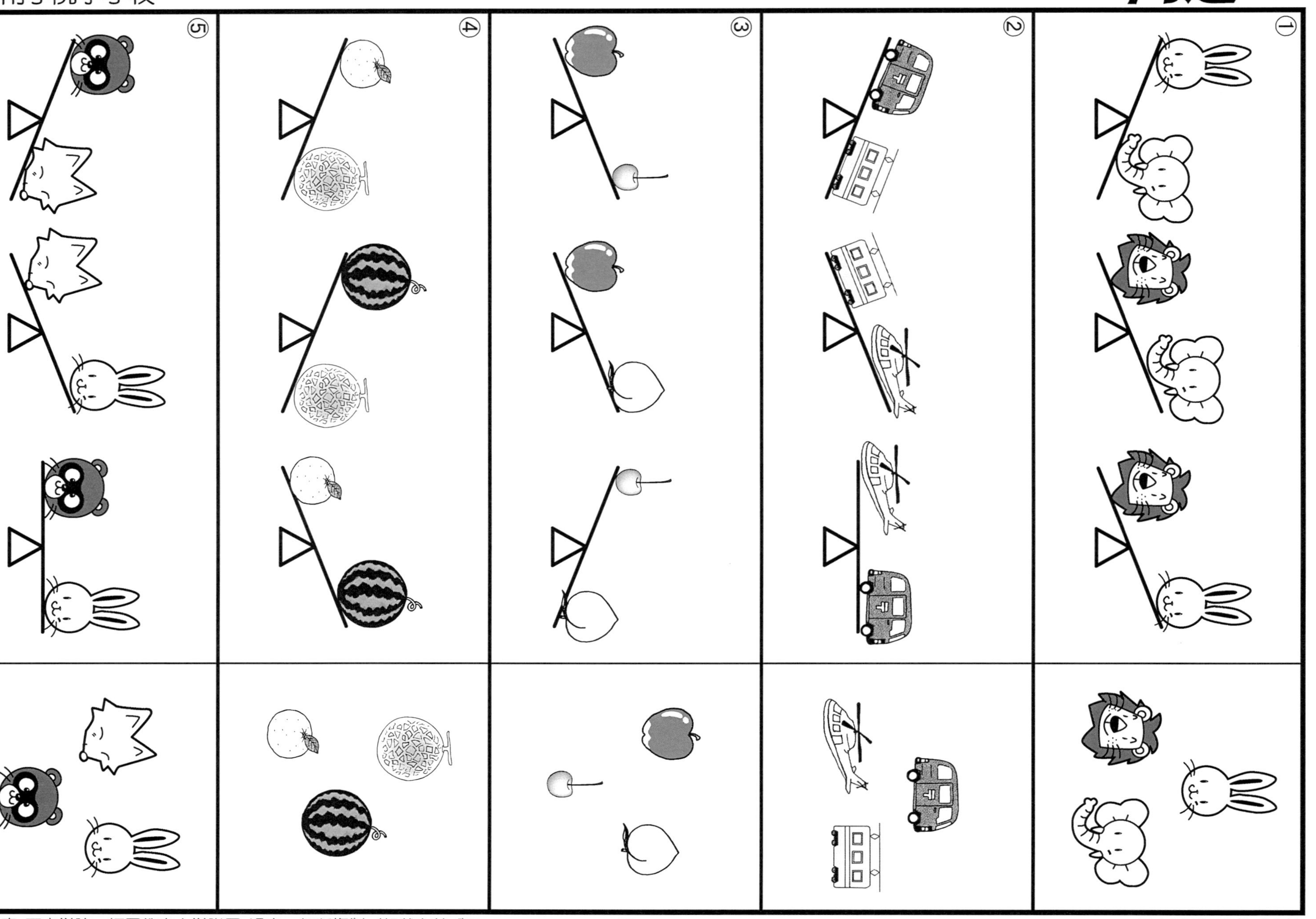

日本学習図書株式会社

問題２

①

②

③

④

⑤

⑥

☆西南学院小学校

問題 3

△→○○　　○→○　　×→●

①	②	③	④	⑤
⚁	⚀	⚃	⚂	⚁
○↓×↓△	△↓△↓×	○↓×↓△	×↓△↓○	△↓○↓×

問題4

①

②

③

④

⑤

日本学習図書株式会社

☆西南学院小学校

問題５

日本学習図書株式会社

問題６－１

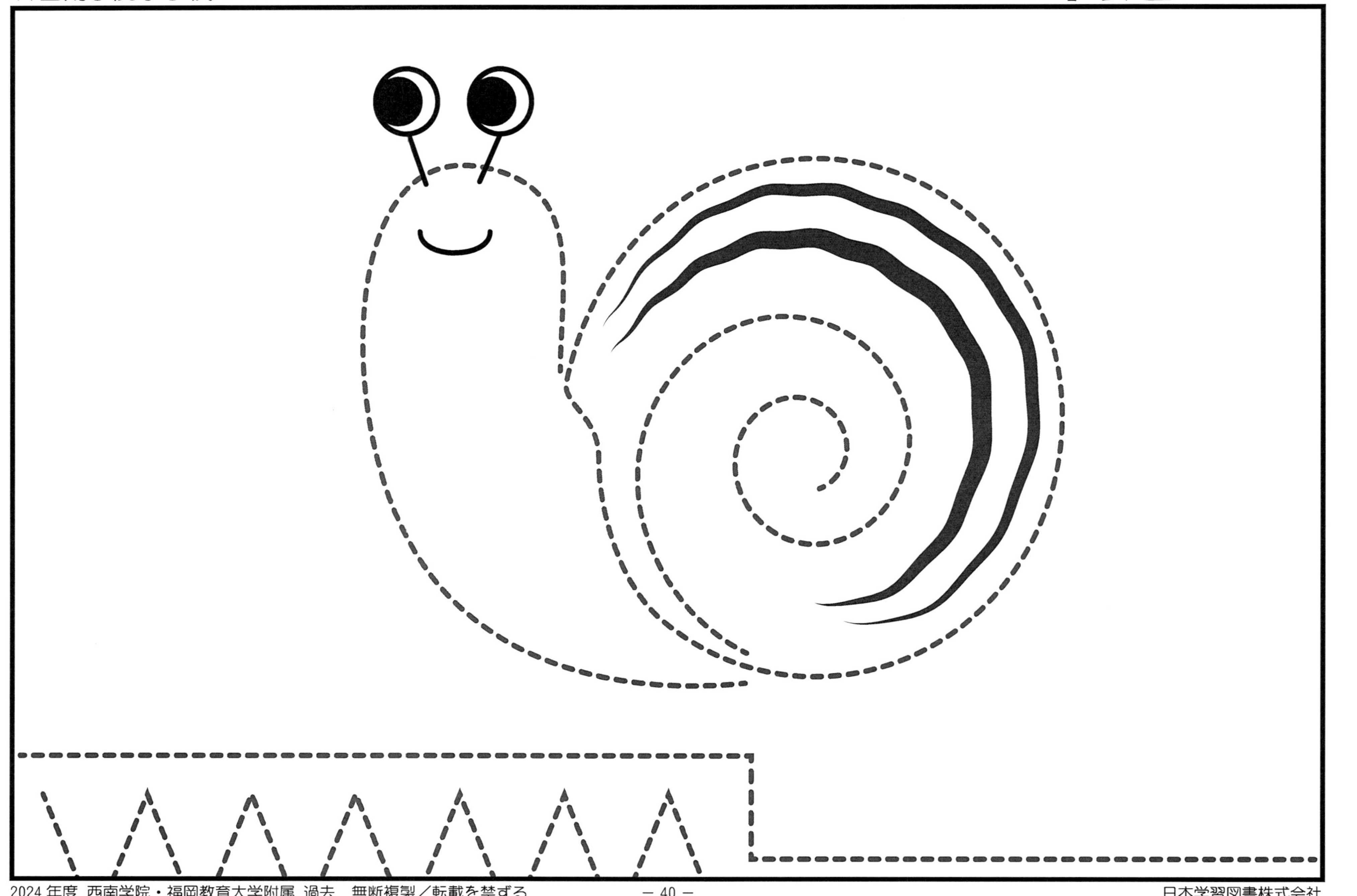

☆西南学院小学校

問題６－２

問題6－3

日本学習図書株式会社

☆西南学院小学校

問題１１

①

②

③

④

⑤

⑥

問題１２

☆西南学院小学校

①

②

③

④

⑤

⑥

問題１３

①

②

③

④

⑤

⑥

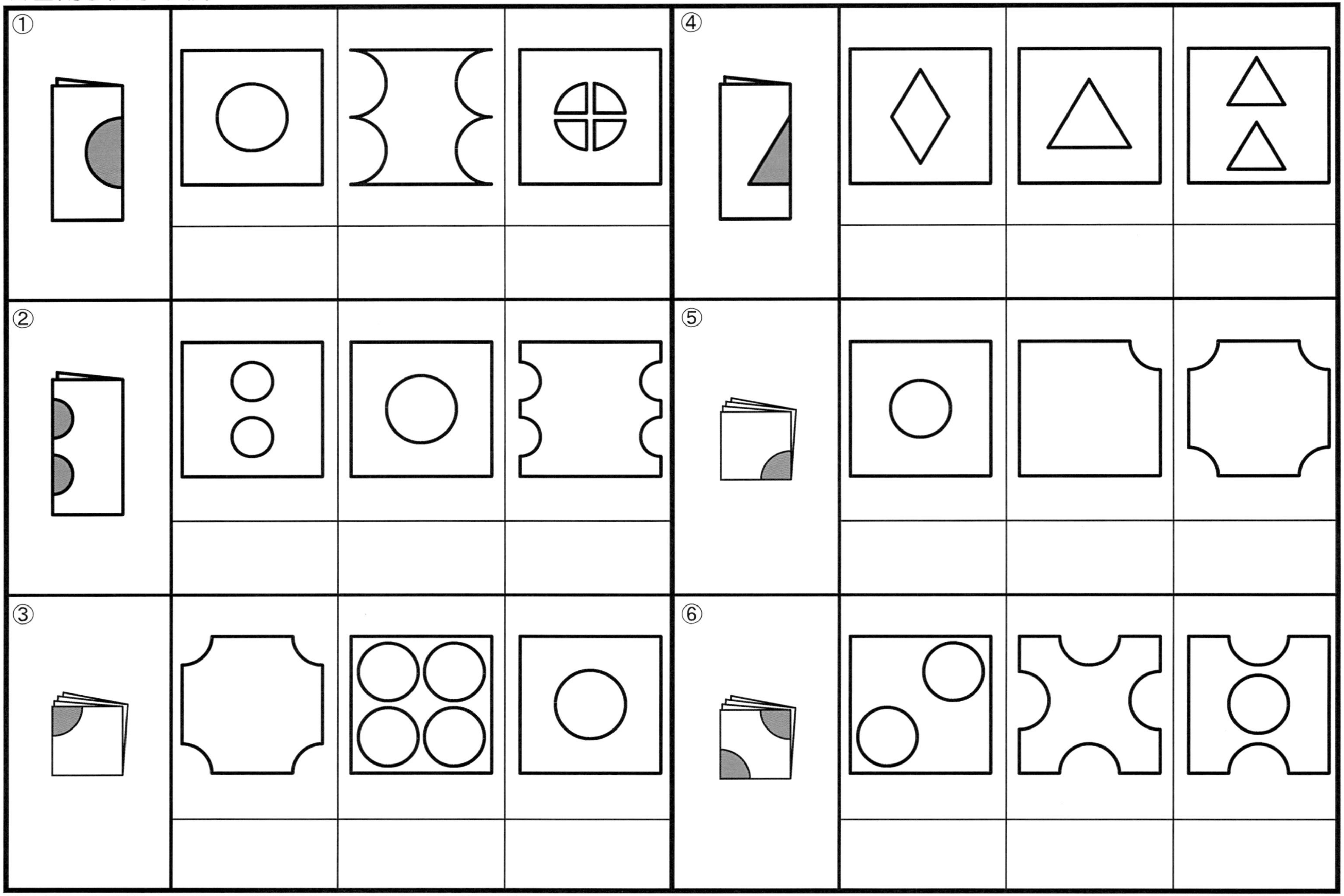

☆西南学院小学校

問題１４

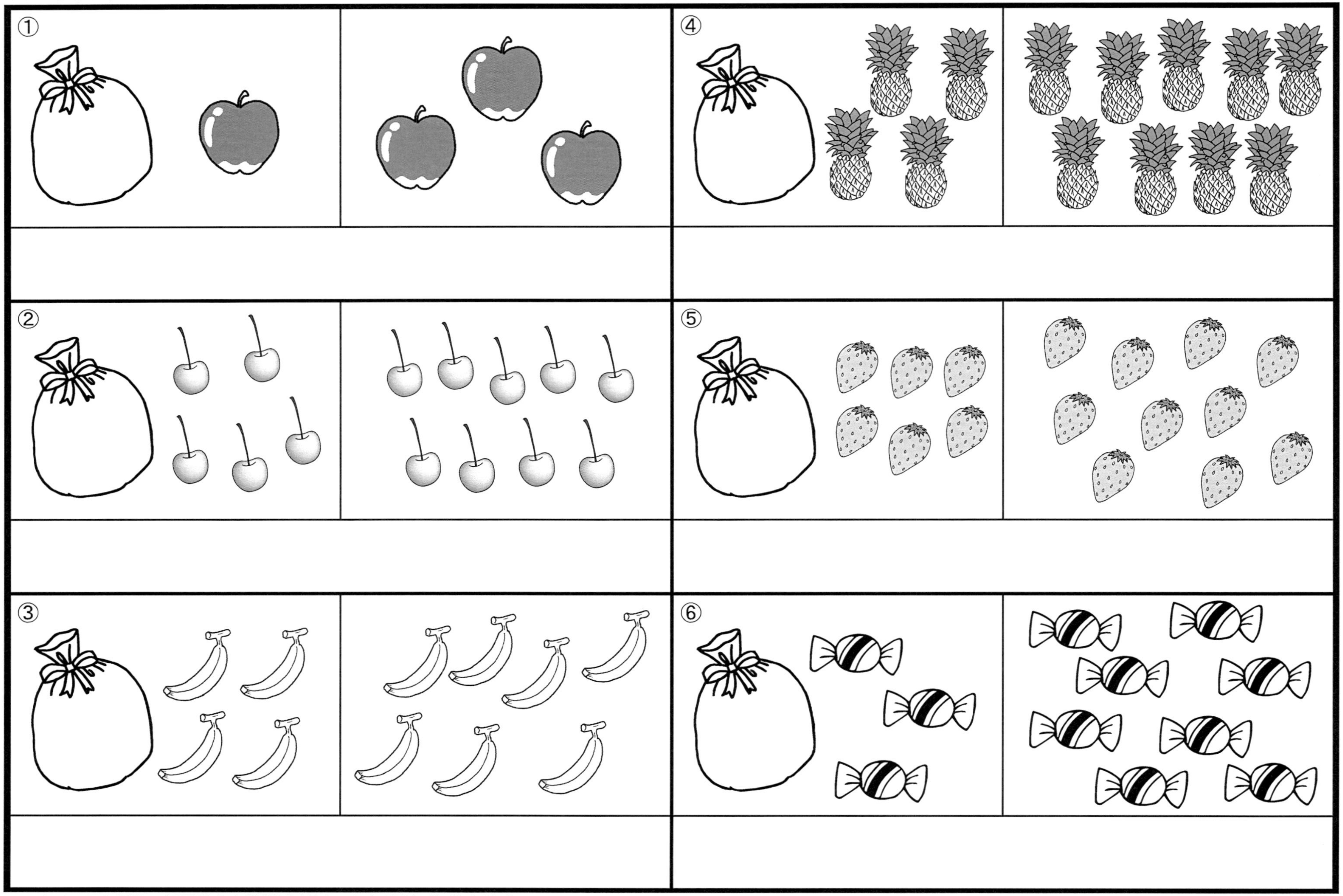

①

②

③

④

⑤

⑥

問題１５

☆西南学院小学校

①

②

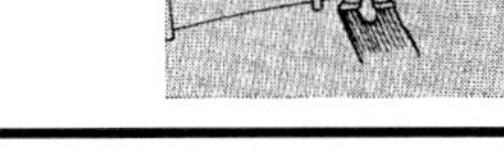

③

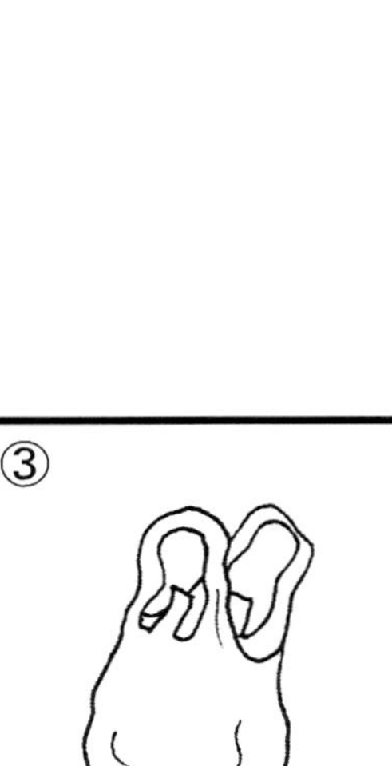

④

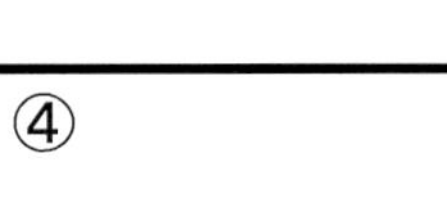

⑤

⑥

☆西南学院小学校

問題16

☆西南学院小学校

問題１８

問題１９

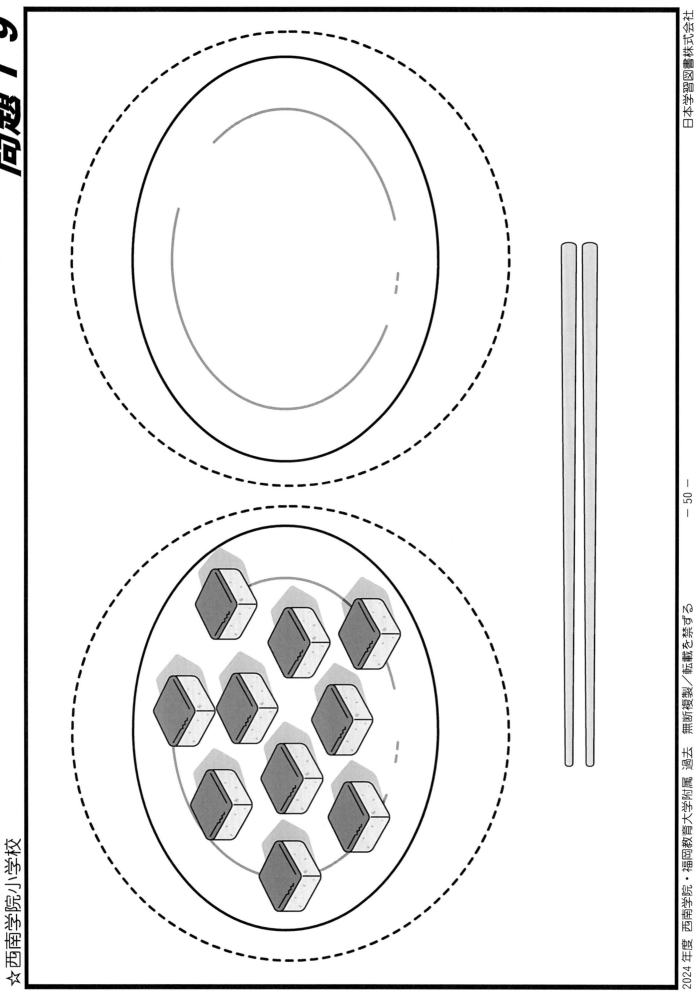

☆福岡教育大学附属小学校

問題２１

①

②

③

④

⑤

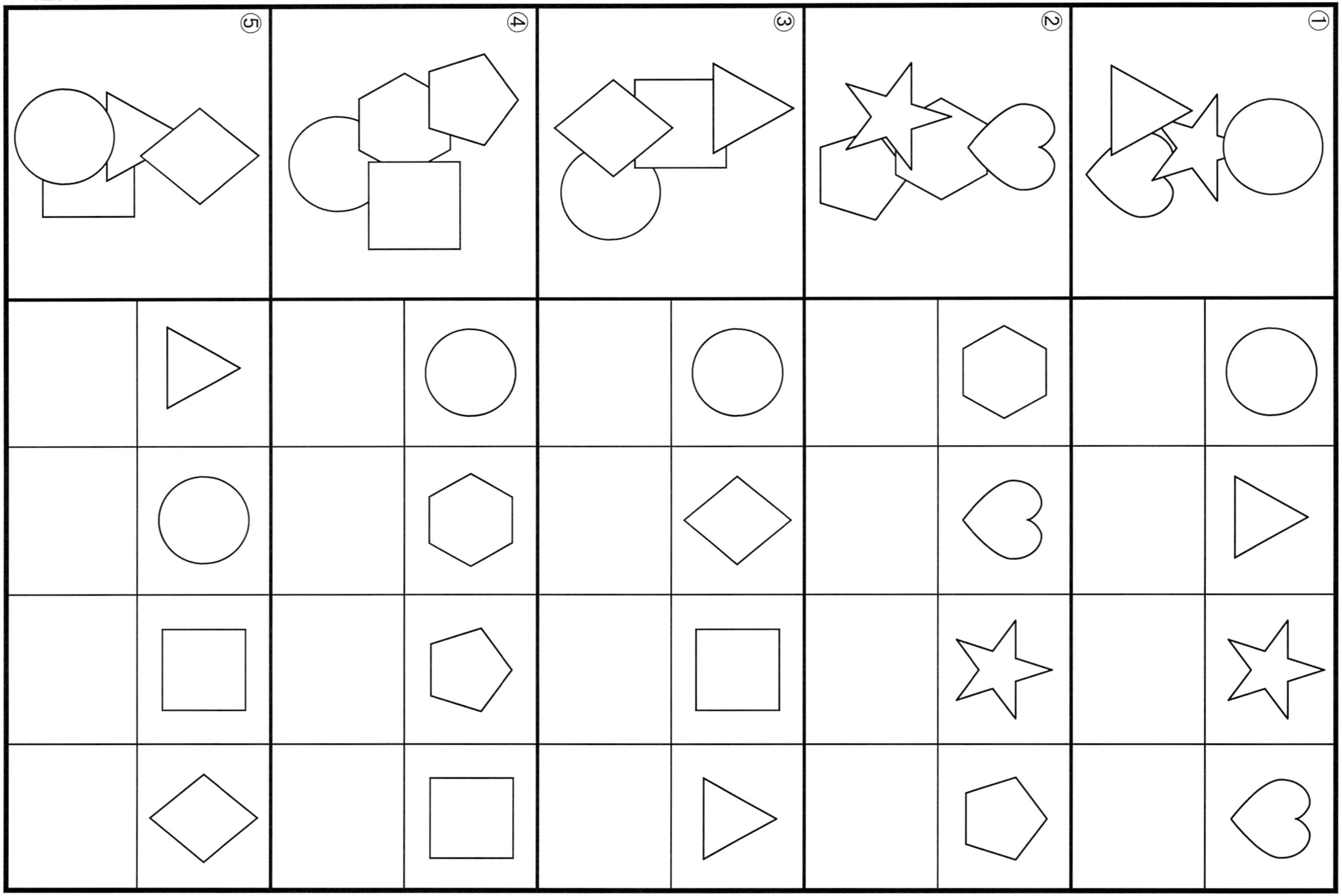

問題２２

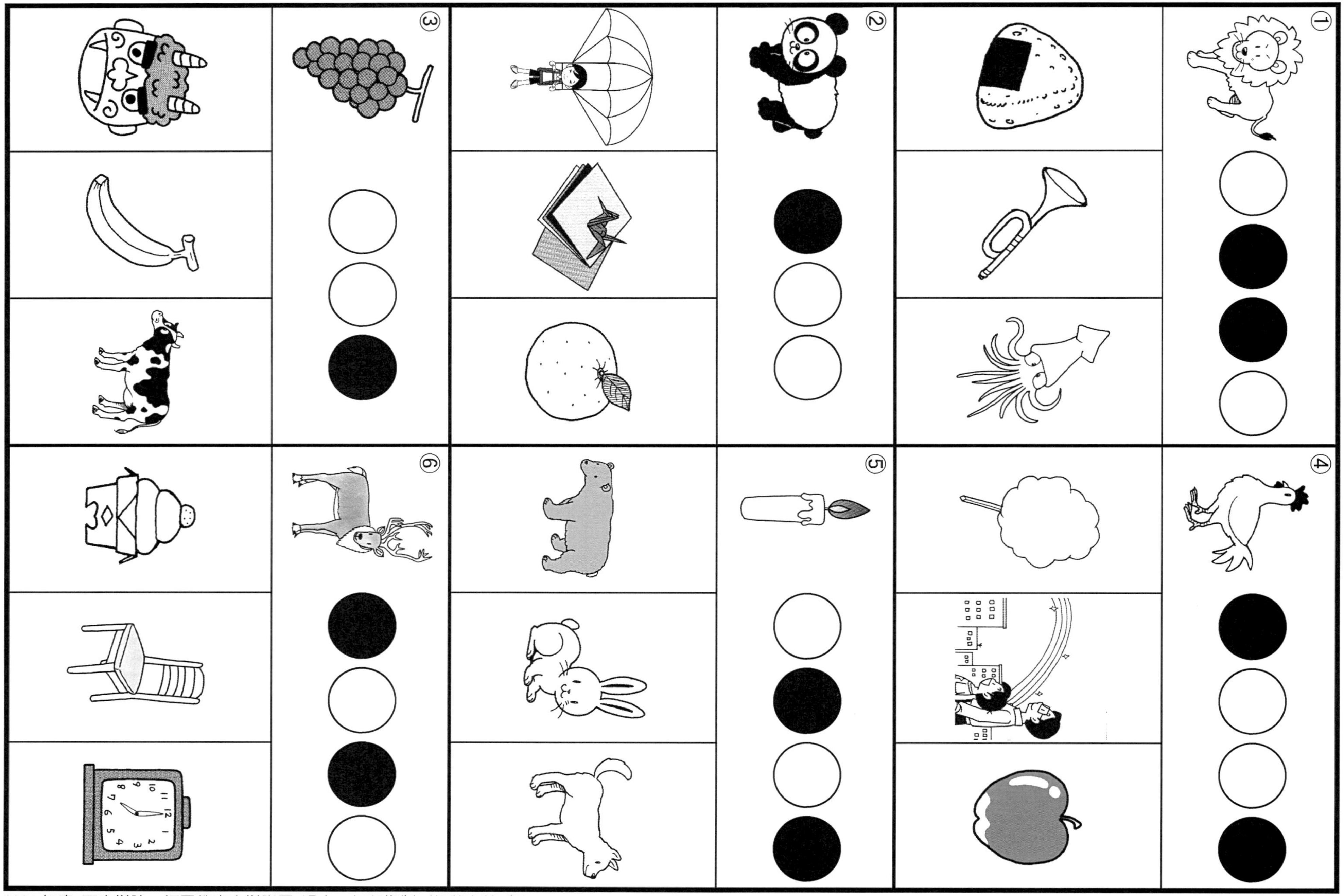

☆福岡教育大学附属小学校

①

②

③

④

⑤

⑥

問題３２

①

②

③

④

⑤

⑥

問題２３

☆福岡教育大学附属小学校

①

②

③

④

⑤

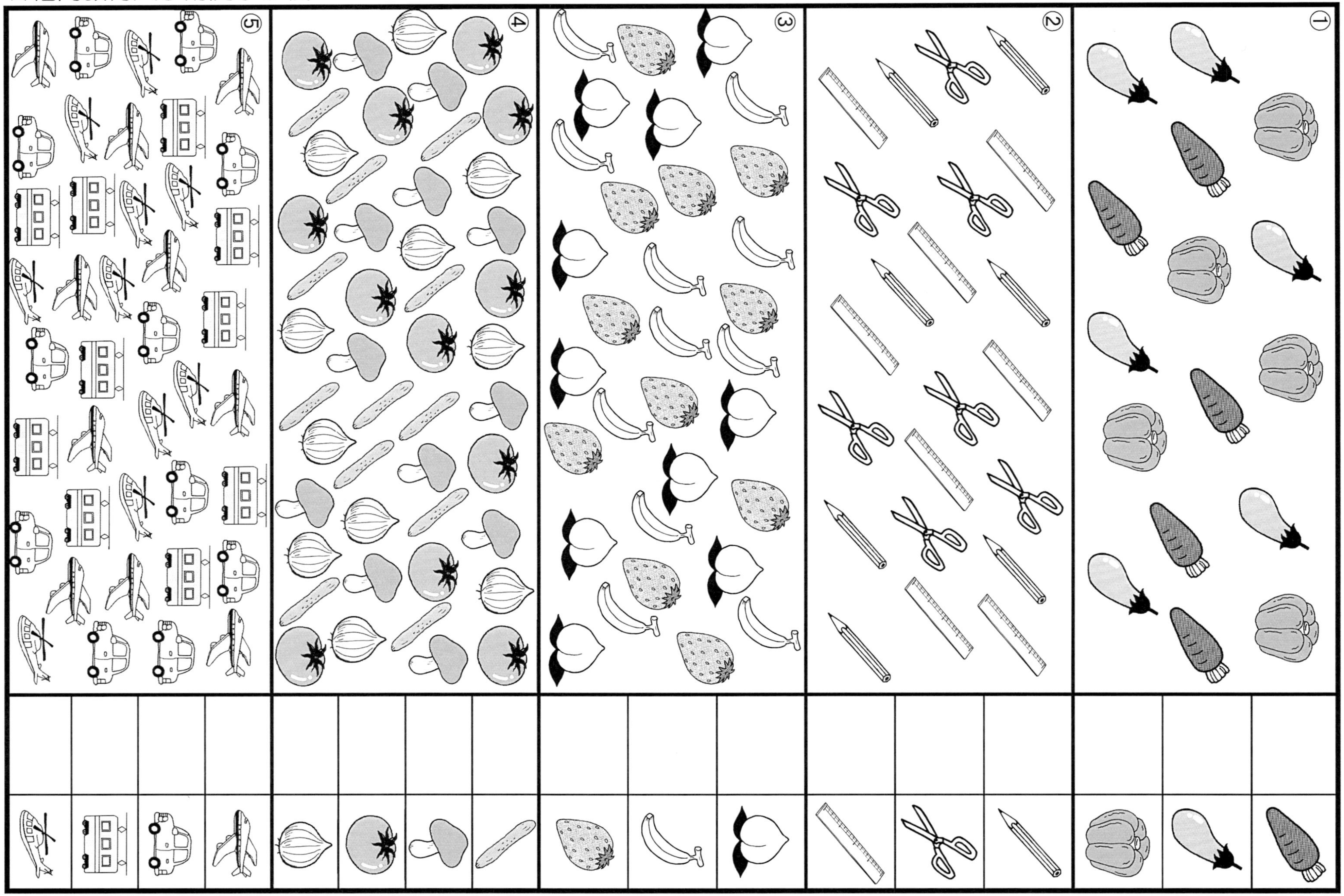

日本学習図書株式会社

問題２５－１

100% All-Plastic Playing Cards

日本学習図書株式会社

問題２５－２

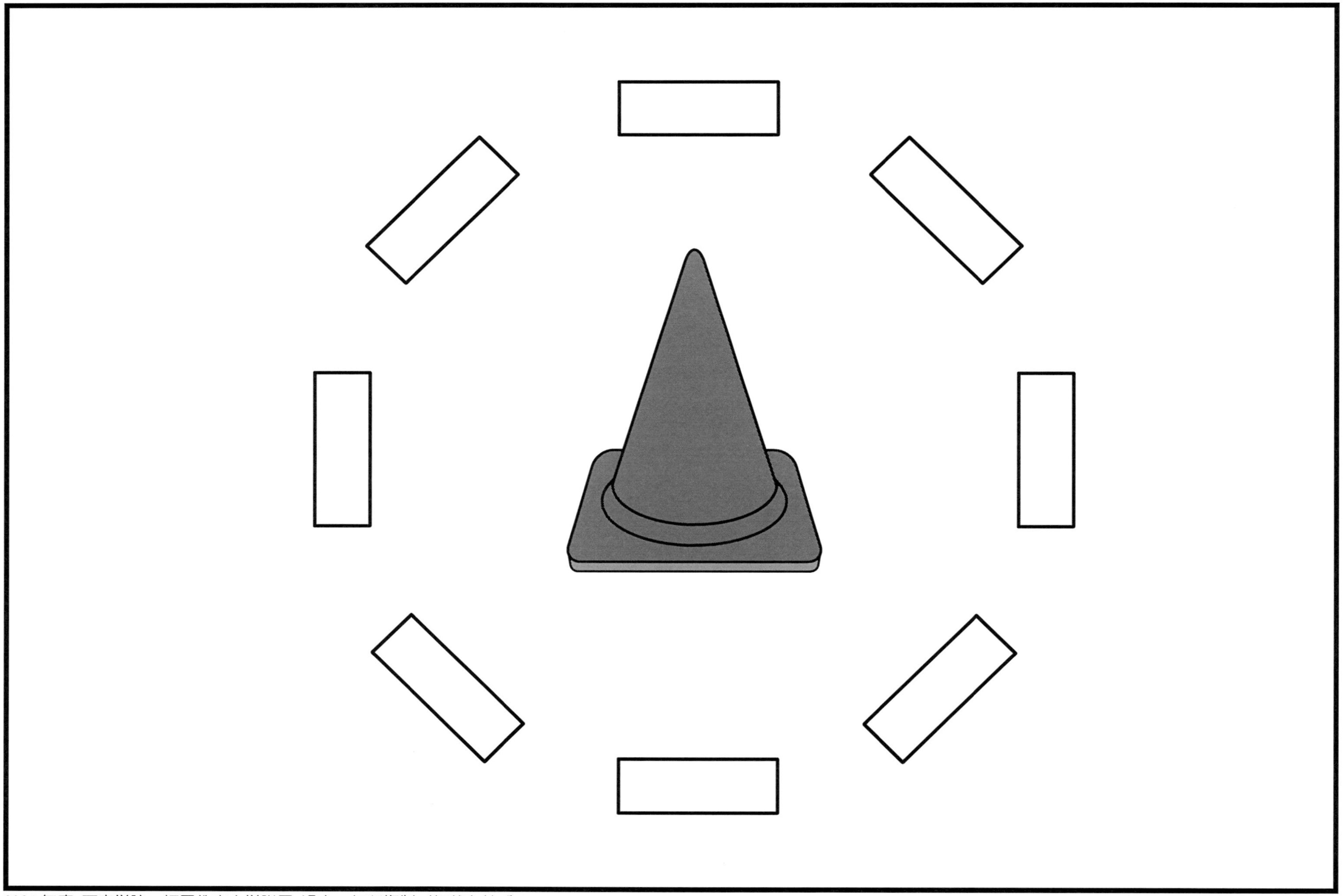

日本学習図書株式会社

問題２８

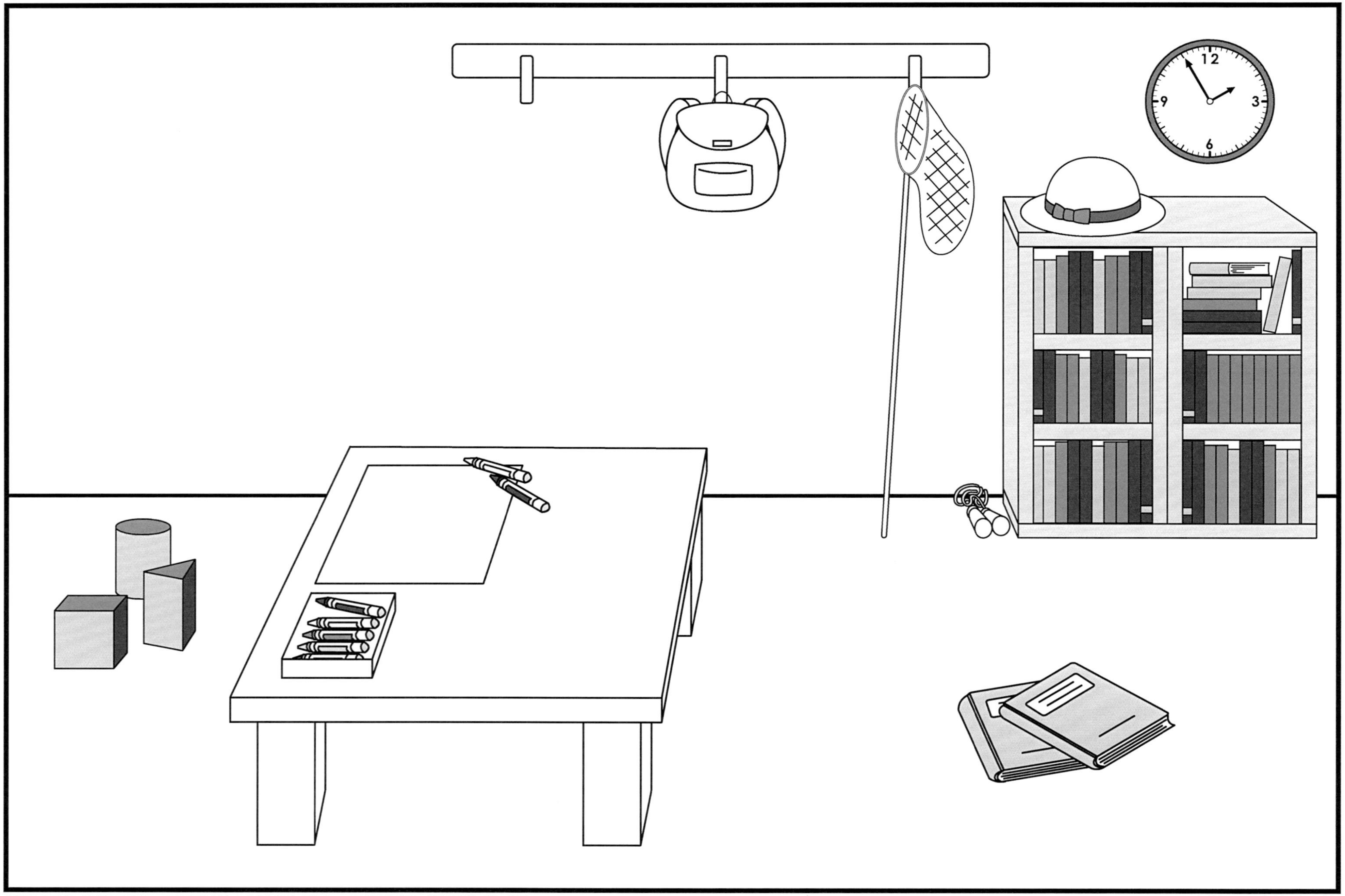

☆福岡教育大学附属小学校

問題３０

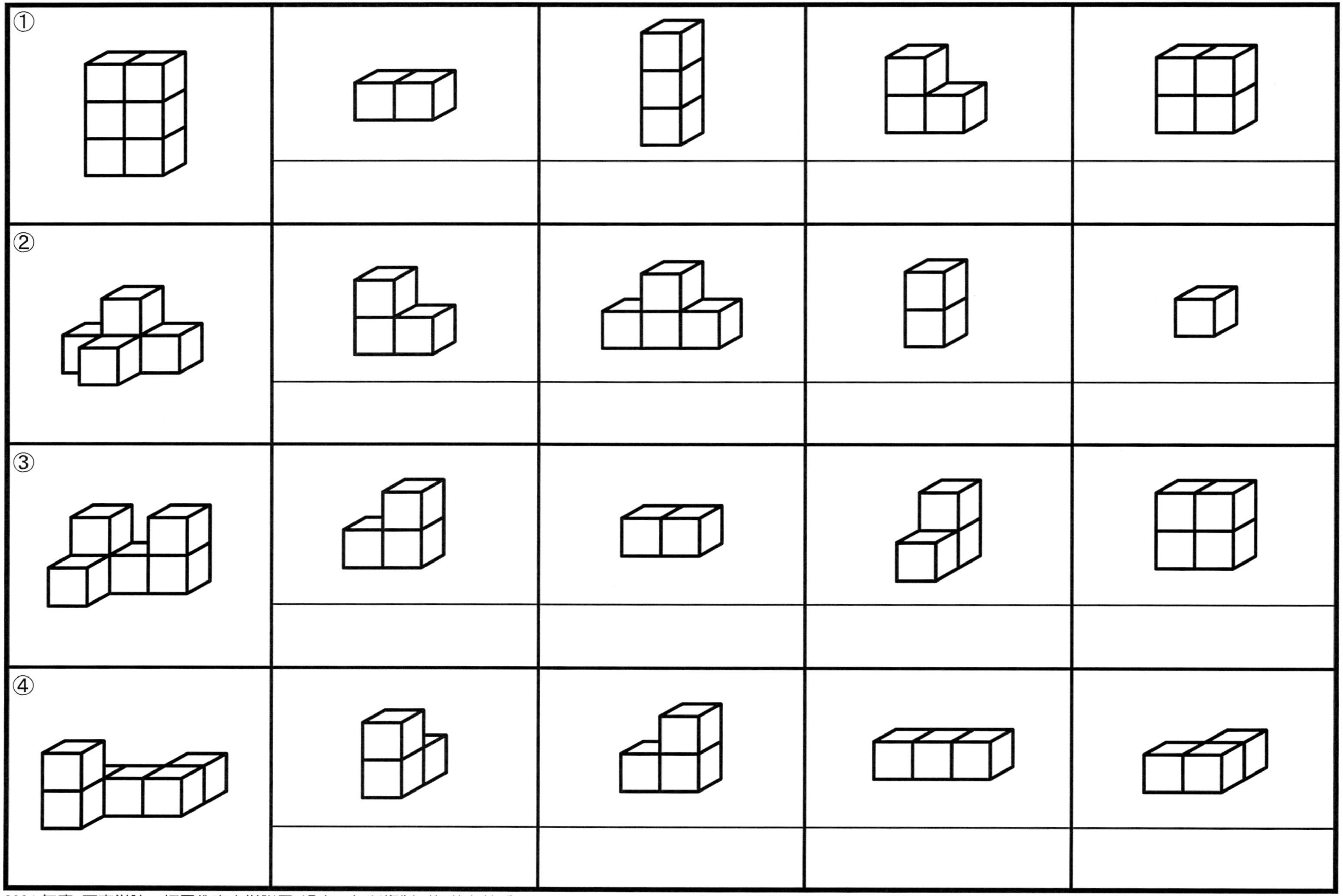

①

②

③

④

日本学習図書株式会社

☆福岡教育大学附属小学校

問題３１

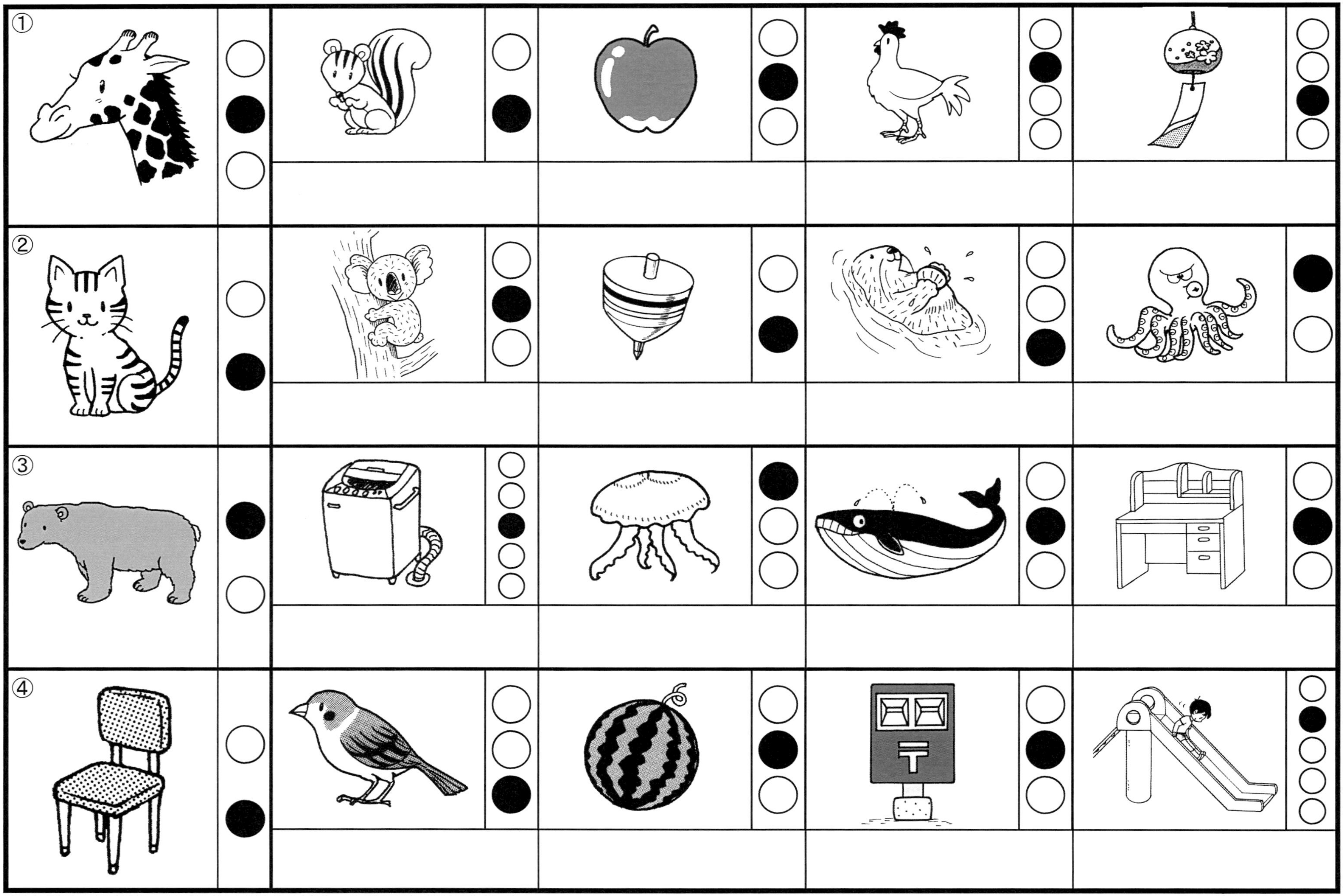

①

②

③

④

☆福岡教育大学附属小学校

問題３２

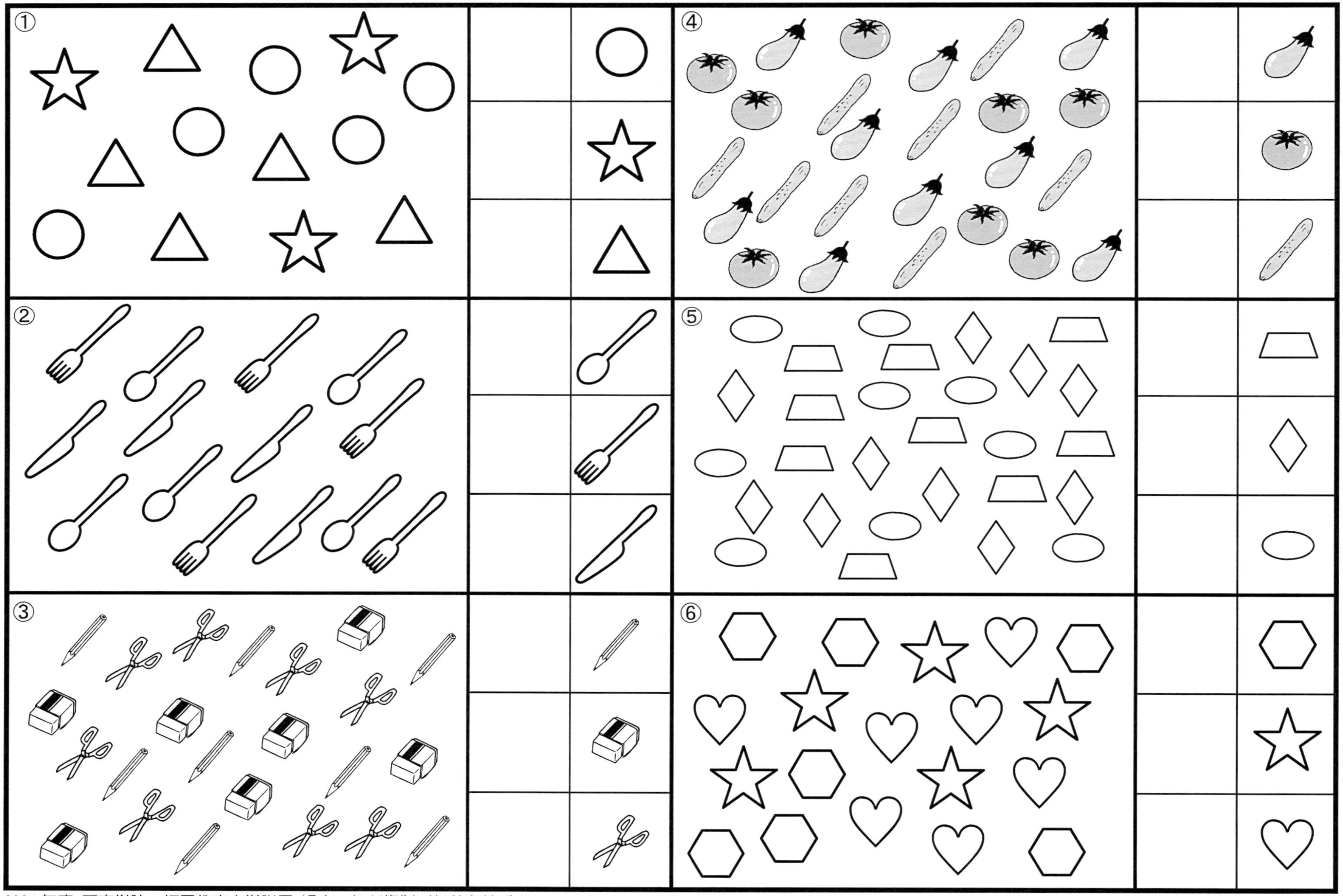

①

②

③

④

⑤

⑥

問題３３

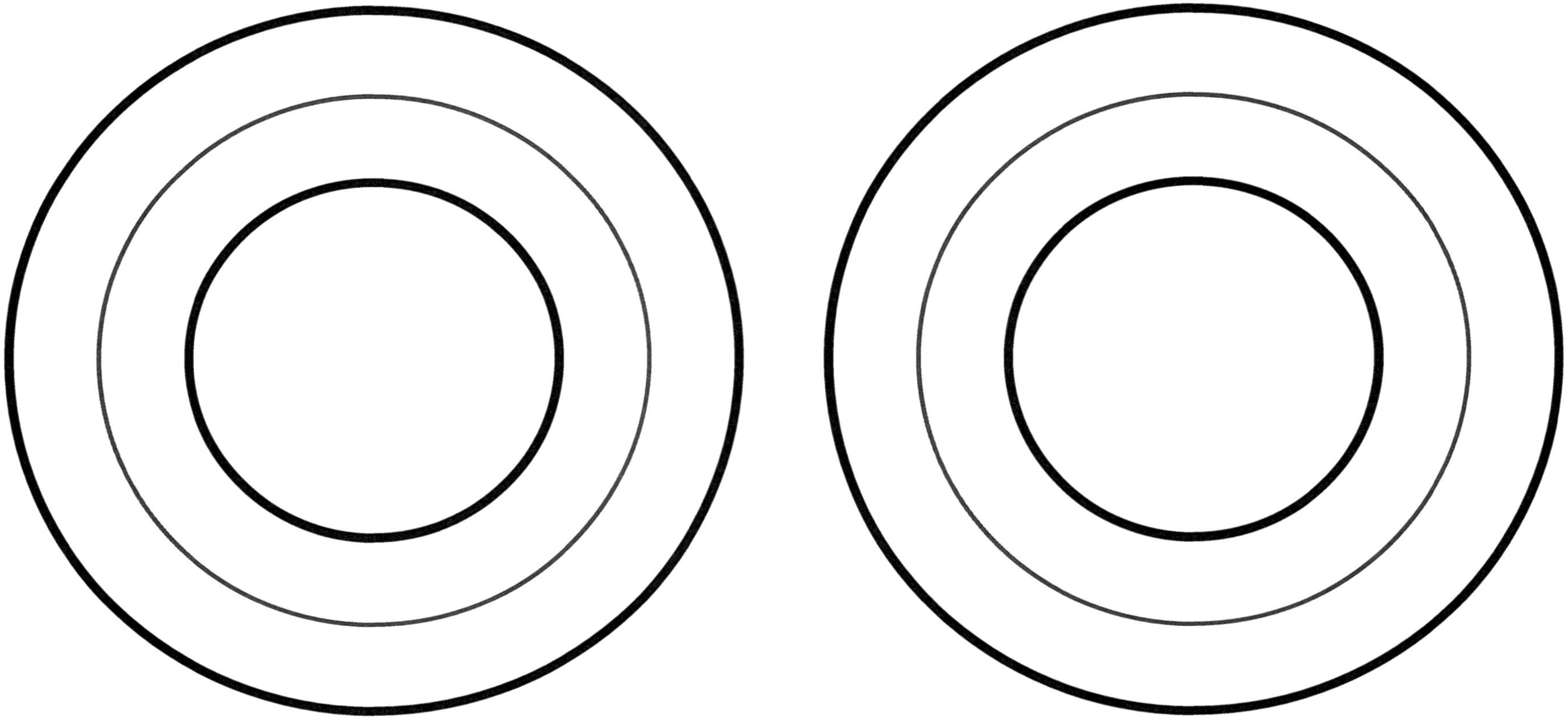

日本学習図書株式会社

問題３４

問題３５－１

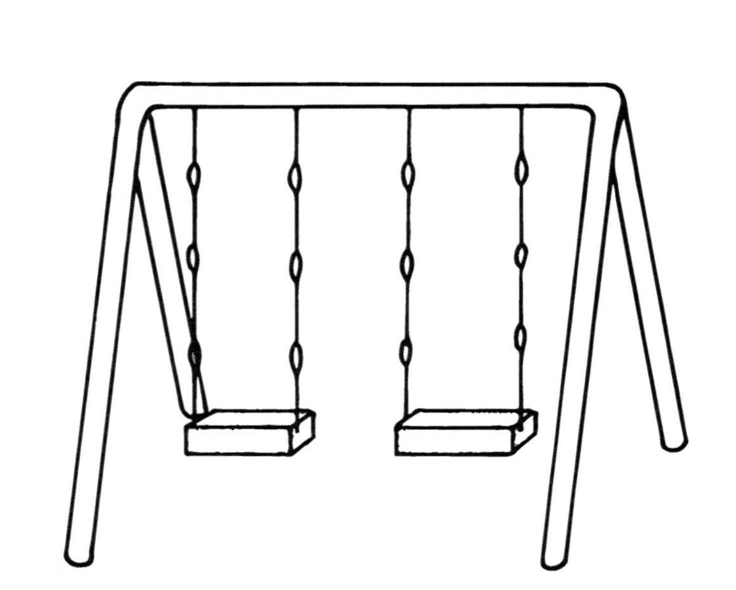

問題35－3

日本学習図書株式会社

☆福岡教育大学附属小学校

問題37

日本学習図書株式会社

問題３８

積 み 木

お手本

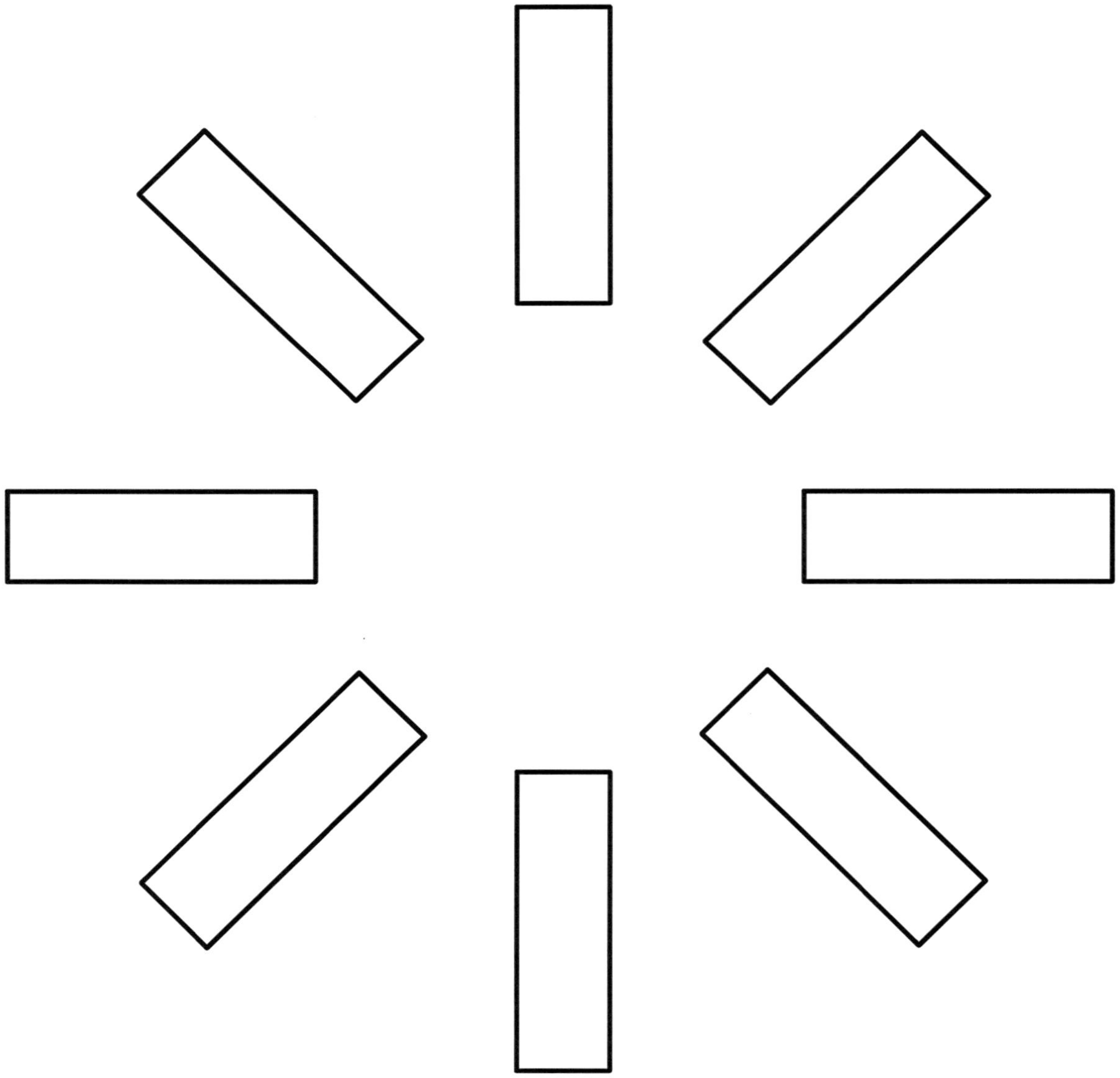

西南学院小学校小学校　専用注文書

年　　月　　日

合格のための問題集ベスト・セレクション

＊入試頻出分野ベスト３

1st　記　憶
聞く力　集中力

2nd　図　形
観察力　考える力

3rd　常　識
知識　公衆

口頭試問や行動観察など、ペーパー以外の分野の課題も多いので、机上の学習だけでなく、生活の中での経験も積んでおくとよいでしょう。ペーパー分野では、問題数が多いので解答のスピードも必要になります。

分野	書　名	価格(税込)	注文	分野	書　名	価格(税込)	注文
図形	Ｊｒ・ウォッチャー 5「回転・展開」	1,650 円	冊	数量	Ｊｒ・ウォッチャー 38「たし算・ひき算 1」	1,650 円	冊
常識	Ｊｒ・ウォッチャー 12「日常生活」	1,650 円	冊	数量	Ｊｒ・ウォッチャー 39「たし算・ひき算 2」	1,650 円	冊
言語	Ｊｒ・ウォッチャー 17「言葉の音遊び」	1,650 円	冊	数量	Ｊｒ・ウォッチャー 42「一対多の対応」	1,650 円	冊
言語	Ｊｒ・ウォッチャー 18「いろいろな言葉」	1,650 円	冊	図形	Ｊｒ・ウォッチャー 45「図形分割」	1,650 円	冊
記憶	Ｊｒ・ウォッチャー 19「お話の記憶」	1,650 円	冊	巧緻性	Ｊｒ・ウォッチャー 52「運筆②」	1,650 円	冊
創造	Ｊｒ・ウォッチャー 21「お話作り」	1,650 円	冊	図形	Ｊｒ・ウォッチャー 54「図形の構成」	1,650 円	冊
巧緻性	Ｊｒ・ウォッチャー 22「想像画」	1,650 円	冊	常識	Ｊｒ・ウォッチャー 56「マナーとルール」	1,650 円	冊
巧緻性	Ｊｒ・ウォッチャー 23「切る・貼る・塗る」	1,650 円	冊	言語	Ｊｒ・ウォッチャー 60「言葉の音（おん）」	1,650 円	冊
巧緻性	Ｊｒ・ウォッチャー 24「絵画」	1,650 円	冊		実践 ゆびさきトレーニング①・②・③	2,750 円	各　冊
運動	Ｊｒ・ウォッチャー 28「運動」	1,650 円	冊		新口頭試問・個別テスト問題集	2,750 円	冊
観察	Ｊｒ・ウォッチャー 29「行動観察」	1,650 円	冊		新ノンペーパーテスト問題集	2,860 円	冊
常識	Ｊｒ・ウォッチャー 30「生活習慣」	1,650 円	冊		1話5分の読み聞かせお話集①・②	1,980 円	各　冊
図形	Ｊｒ・ウォッチャー 35「重ね図形」	1,650 円	冊		口頭試問最強マニュアル 生活体験編	2,200 円	冊
数量	Ｊｒ・ウォッチャー 37「選んで数える」	1,650 円	冊				

合計	冊	円

（フリガナ） 氏　名	電　話 ＦＡＸ E-mail
住 所　〒　　　－	以前にご注文されたことはございますか。 有　・　無

★お近くの書店、または記載の電話・FAX・ホームページにてご注文をお受けしております。
電話：03-5261-8951　FAX：03-5261-8953　代金は書籍合計金額＋送料がかかります。
※なお、落丁・乱丁以外の理由による商品の返品・交換には応じかねます。

★ご記入頂いた個人に関する情報は、当社にて厳重に管理致します。なお、ご購入の商品発送の他に、当社発行の書籍案内、書籍に関する調査に使用させて頂く場合がございますので、予めご了承ください。

日本学習図書株式会社
http://www.nichigaku.jp

福岡教育大学附属小学校　専用注文書

年　　月　　日

合格のための問題集ベスト・セレクション

＊入試頻出分野ベスト３

1st 数量 観察力 集中力

2nd 図形 観察力 考える力

3rd 常識 知識 公衆

一部を除いてそれほど難しくはないので、基礎をしっかりと固めておけば充分に対応できる問題です。ただし、図形・数量において、細かな違いや数えにくい問題も出題されているので、そうした問題に対しては対策が必要になります。

分野	書名	価格(税込)	注文	分野	書名	価格(税込)	注文
図形	Ｊｒ・ウォッチャー1「点・線図形」	1,650円	冊	推理	Ｊｒ・ウォッチャー31「推理思考」	1,650円	冊
図形	Ｊｒ・ウォッチャー3「パズル」	1,650円	冊	常識	Ｊｒ・ウォッチャー34「季節」	1,650円	冊
図形	Ｊｒ・ウォッチャー4「同図形探し」	1,650円	冊	図形	Ｊｒ・ウォッチャー35「重ね図形」	1,650円	冊
推理	Ｊｒ・ウォッチャー6「系列」	1,650円	冊	数量	Ｊｒ・ウォッチャー36「同数発見」	1,650円	冊
常識	Ｊｒ・ウォッチャー11「いろいろな仲間」	1,650円	冊	数量	Ｊｒ・ウォッチャー37「選んで数える」	1,650円	冊
常識	Ｊｒ・ウォッチャー12「日常生活」	1,650円	冊	言語	Ｊｒ・ウォッチャー49「しりとり」	1,650円	冊
常識	Ｊｒ・ウォッチャー13「時間の流れ」	1,650円	冊	常識	Ｊｒ・ウォッチャー55「理科②」	1,650円	冊
数量	Ｊｒ・ウォッチャー14「数える」	1,650円	冊	言語	Ｊｒ・ウォッチャー60「言葉の音（おん）」	1,650円	冊
言語	Ｊｒ・ウォッチャー17「言葉の音遊び」	1,650円	冊		新口頭試問・個別テスト問題集	2,750円	冊
言語	Ｊｒ・ウォッチャー18「いろいろな言葉」	1,650円	冊		新ノンペーパーテスト問題集	2,750円	冊
巧緻性	Ｊｒ・ウォッチャー22「想像画」	1,650円	冊		口頭試問最強マニュアル 生活体験編	2,200円	冊
巧緻性	Ｊｒ・ウォッチャー24「絵画」	1,650円	冊				
観察	Ｊｒ・ウォッチャー28「運動」	1,650円	冊				
観察	Ｊｒ・ウォッチャー29「行動観察」	1,650円	冊				

合計	冊	円

（フリガナ） 氏　名	電　話 ＦＡＸ E-mail
住　所　〒　　　－	以前にご注文されたことはございますか。 有　・　無

★お近くの書店、または記載の電話・FAX・ホームページにてご注文をお受けしております。
電話：03-5261-8951　FAX：03-5261-8953　代金は書籍合計金額＋送料がかかります。
※なお、落丁・乱丁以外の理由による商品の返品・交換には応じかねます。

★ご記入頂いた個人に関する情報は、当社にて厳重に管理致します。なお、ご購入の商品発送の他に、当社発行の書籍案内、書籍に関する調査に使用させて頂く場合がございますので、予めご了承ください。

日本学習図書株式会社
http://www.nichigaku.jp

分野別 小学入試練習帳 ジュニアウォッチャー

1．点・線図形	小学校入試で出題頻度の高い『点・線図形』の模写を、難易度の低いものから段階別に幅広く練習することができるように構成。
2．座標	図形の位置模写という作業を、難易度の低いものから段階別に練習できるように構成。
3．パズル	様々なパズルの問題を難易度の低いものから段階別に練習できるように構成。
4．同図形探し	小学校入試で出題頻度の高い、同図形選びの問題を繰り返し練習できるように構成。
5．回転・展開	図形などを回転、または展開したとき、形がどのように変化するかを学習し、理解を深められるように構成。
6．系列	数、図形などの様々な系列問題を、難易度の低いものから段階別に練習できるように構成。
7．迷路	迷路の問題を繰り返し練習できるように構成。
8．対称	対称に関する問題を４つのテーマに分類し、各テーマごとに問題を段階別に練習できるように構成。
9．合成	図形の合成に関する問題を、難易度の低いものから段階別に練習できるように構成。
10. 四方からの観察	もの（立体）を様々な角度から見て、どのように見えるかを推理する問題を段階別に整理し、１つの形式で複数の問題を練習できるように構成。
11. いろいろな仲間	ものや動物、植物の共通点を見つけ、分類していく問題を中心に構成。
12. 日常生活	日常生活における様々な問題を６つのテーマに分類し、各テーマごとに一つの問題形式で複数の問題を練習できるように構成。
13. 時間の流れ	『時間』に着目し、様々なものごとは、時間が経過するとどのように変化するのかということを学習し、理解できるように構成。
14. 数える	様々なものを『数える』ことから、数の多少の判定やかけ算、わり算の基礎までを練習できるように構成。
15. 比較	比較に関する問題を５つのテーマ（数、高さ、長さ、量、重さ）に分類し、各テーマごとに問題を段階別に練習できるように構成。
16. 積み木	数える対象を積み木に限定した問題集。
17. 言葉の音遊び	言葉の音に関する問題を５つのテーマに分類し、各テーマごとに問題を段階別に練習できるように構成。
18. いろいろな言葉	表現力をより豊かにするいろいろな言葉として、擬態語や擬声語、同音異義語、反意語、数詞を取り上げた問題集。
19. お話の記憶	お話を聴いてその内容を記憶、理解し、設問に答える形式の問題集。
20. 見る記憶・聴く記憶	「見て憶える」「聴いて憶える」という『記憶』分野に特化した問題集。
21. お話作り	いくつかの絵を元にしてお話を作る練習をして、想像力を養うことができるように構成。
22. 想像画	描かれてある形や景色に好きな絵を描くことにより、想像力を養うことができるように構成。
23. 切る・貼る・塗る	小学校入試で出題頻度の高い、はさみやのりなどを用いた巧緻性の問題を繰り返し練習できるように構成。
24• 絵画	小学校入試で出題頻度の高い、お絵かきやぬり絵などクレヨンやクーピーペンを用いた巧緻性の問題を繰り返し練習できるように構成。
25. 生活巧緻性	小学校入試で出題頻度の高い日常生活の様々な場面における巧緻性の問題集。
26. 文字・数字	ひらがなの清音、濁音、拗音、拗長音、促音と１～20までの数字に焦点を絞り、練習できるように構成。
27. 理科	小学校入試で出題頻度が高くなりつつある理科の問題を集めた問題集。
28. 運動	出題頻度の高い運動問題を種目別に分けて構成。
29. 行動観察	項目ごとに問題提起をし、「このような時はどうか、あるいはどう対処するのか」の観点から問いかける形式の問題集。
30. 生活習慣	学校から家庭に提起された問題と思って、一問一問絵を見ながら話し合い、考える形式の問題集。
31. 推理思考	数、量、言語、常識（含理科、一般）など、諸々のジャンルから問題を構成し、近年の小学校入試問題傾向に沿って構成。
32. ブラックボックス	箱や筒の中を通ると、どのようなお約束でどのように変化するかを推理・思考する問題集。
33. シーソー	重さの違うものをシーソーに乗せた時どちらに傾くのか、またどうすればシーソーは釣り合うのかを思考する基礎的な問題集。
34. 季節	様々な行事や植物などを季節別に分類できるように知識をつける問題集。
35. 重ね図形	小学校入試で頻繁に出題されている「図形を重ね合わせてできる形」についての問題を集めました。
36. 同数発見	様々な物を数え「同じ数」を発見し、数の多少の判断や数の認識の基礎を学べるように構成した問題集。
37. 選んで数える	数の学習の基本となる、いろいろなものの数を正しく数える学習を行う問題集。
38. たし算・ひき算１	数字を使わず、たし算とひき算の基礎を身につけるための問題集。
39. たし算・ひき算２	数字を使わず、たし算とひき算の基礎を身につけるための問題集。
40. 数を分ける	数を等しく分ける問題です。等しく分けたときに余りが出るものもあります。
41. 数の構成	ある数がどのような数で構成されているか学んでいきます。
42. 一対多の対応	一対一の対応から、一対多の対応まで、かけ算の考え方の基礎学習を行います。
43. 数のやりとり	あげたり、もらったり、数の変化をしっかりと学びます。
44. 見えない数	指定された条件から数を導き出します。
45. 図形分割	図形の分割に関する問題集。パズルや合成の分野にも通じる様々な問題を集めました。
46. 回転図形	「回転図形」に関する問題集。やさしい問題から始め、いくつかの代表的なパターンから、段階を踏んで学習できるよう編集されています。
47. 座標の移動	「マス目の指示通りに移動する問題」と「指示された数だけ移動する問題」を収録。
48. 鏡図形	鏡で左右反転させた時の見え方を考えます。平面図形から立体図形、文字、絵まで。
49. しりとり	すべての学習の基礎となる「言葉」を学ぶこと、特に「語彙」を増やすことに重点をおき、さまざまなタイプの「しりとり」問題を集めました。
50. 観覧車	観覧車やメリーゴーラウンドなどを舞台にした「回転系列」の問題集。「推理思考」分野の問題ですが、要素として「図形」や「数量」も含みます。
51. 運筆①	鉛筆の持ち方を学び、点線なぞり、お手本を見ながらの模写で、線を引く練習をします。
52. 運筆②	運筆①からさらに発展し、「欠所補完」や「迷路」などを楽しみながら、より複雑な鉛筆運びを習得することを目指します。
53. 四方からの観察 積み木編	積み木を使用した「四方からの観察」に関する問題を練習できるように構成。
54. 図形の構成	見本の図形がどのような部分によって形づくられているかを考えます。
55. 理科②	理科的知識に関する問題を集中して練習する「常識」分野の問題集。
56. マナーとルール	道路や駅、公共の場でのマナー、安全や衛生に関する常識を学べるように構成。
57. 置き換え	さまざまな具体的・抽象的事象を記号で表す「置き換え」の問題を扱います。
58. 比較②	長さ・高さ・体積・数などを数学的な知識を使わず、論理的に推測する「比較」の問題を練習できるように構成。
59. 欠所補完	線と線のつながり、欠けた絵に当てはまるものなどを求める「欠所補完」に取り組める問題集です。
60. 言葉の音（おん）	しりとり、決まった順番の音をつなげるなど、「言葉の音」に関する問題に取り組める練習問題集です。

◆◆ニチガクのおすすめ問題集◆◆

より充実した家庭学習を目指し、ニチガクではさまざまな問題集をとりそろえております!!

ジュニアウォッチャー（既刊60巻）

①〜⑥⓪（以下続刊）
本体各￥1,500＋税

入試出題頻度の高い9分野を、さらに60の項目に細分化した問題集が出来ました。
苦手分野におけるつまずきを効率よく克服するための60冊となっており、小学校受験における基礎学習にぴったりの問題集です。ポイントが絞られているため、無駄なく学習を進められる、まさに小学校受験問題集の入門編です。

国立・私立 NEW ウォッチャーズ

言語／理科／図形／記憶
常識／数量／推理
各2巻・全14巻
本体各￥2,000＋税

シリーズ累計発行部数40万部以上を誇る大ベストセラー「ウォッチャーズシリーズ」の趣旨を引き継ぐ新シリーズができました！
こちらは国立・私立それぞれの出題傾向に合わせた分野別問題集です。全問「解答のポイント」「ミシン目」付き、切り離し可能なプリント学習タイプで家庭学習におすすめです！

まいにちウォッチャーズ（全16巻）

導入編／練習編
実践編／応用編　各4巻
本体各￥2,000＋税

シリーズ累計発行部数40万部以上を誇る大ベストセラー「ウォッチャーズシリーズ」の趣旨を引き継ぐ新シリーズができました！
こちらは、お子さまの学習進度に合わせ、全分野を網羅できる総合問題集です。全問「解答のポイント」「ミシン目」付き、切り離し可能なプリント学習タイプで家庭学習におすすめです！

実践 ゆびさきトレーニング①・②・③

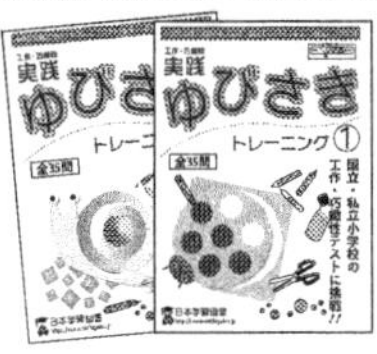

①・②・③　全3巻
本体　各￥2,500＋税

制作問題に特化した問題集ができました。
有名校が実際に出題した問題を分析し、類題を各35問ずつ掲載しています。様々な道具の扱い方（はさみ・のり・セロハンテープの使い方）から、手先・指先の訓練（ちぎる・貼る・塗る・切る・結ぶ）、表現することの楽しさも学習することができる問題集です。

お話の記憶問題集

初級編
本体￥2,600＋税
中級編／上級編
本体各￥2,000＋税

「お話の記憶」分野の問題集ができました。
あらゆる学習に不可欠な、語彙力・集中力・記憶力・理解力・想像力を養うと言われているのが「お話の記憶」という分野です。難易度別に収録されていますので、まずは初級編、慣れてきたら中級編・上級編と学習を進められます。

分野別 苦手克服シリーズ（全6巻）

図形／数量／言語
常識／記憶／推理
本体各￥2,000＋税

お子さまの苦手を克服する問題集ができました。
アンケートに基づき、多くのお子さまが苦手とする数量・図形・言語・常識・記憶の6分野を、それぞれ問題集にまとめました。全問アドバイス付きですので、ご家庭において、そのつまづきを解消するためのプロセスも理解できます。

運動テスト・ノンペーパーテスト問題集

新 運動テスト問題集
本体￥2,200＋税

新 ノンペーパーテスト問題集
本体￥2,600＋税

ノンペーパーテストは国立・私立小学校で幅広く出題される、筆記用具を使用しない分野の問題を全40問掲載しています。
運動テスト問題集は運動分野に特化した問題集です。指示の理解や、ルールを守る訓練など、ポイントを押さえた学習に最適。全35問掲載。

口頭試問・面接テスト問題集

新 口頭試問・個別テスト問題集
本体￥2,500＋税

面接テスト問題集
本体￥2,000＋税

口頭試問は主に個別テストとして口頭で出題解答を行うテスト形式、面接は主に「考え」やふだんの「あり方」をたずねられるものです。
口頭で答える点は同じですが、内容は大きく異なります。想定する質問内容や答え方の幅を広げるために、どちらも手にとっていただきたい問題集です。

小学校受験 厳選難問集　①・②

①・②・③　全3巻
本体各￥2,600＋税

実際に出題された入試問題の中から、難易度の高い問題をピックアップし、アレンジした問題集です。応用問題への挑戦は、基礎の理解度を測るだけでなく、お子さまの達成感・知的好奇心を触発します。
①は数量・図形・推理・言語、②は位置・常識・比較・記憶分野を掲載しています。各40問。

国立小学校　入試問題総集編

A・B・C（全3巻）
本体各￥3,282＋税

国立小学校頻出の問題を厳選して収録した問題集です。細かな指導方法やアドバイスが掲載してあり、効率的な学習が進められます。
難易度別の収録となっており、お子さまの学習進度に合わせて利用できます。付録のレーダーチャートにより得意・不得意を認識でき、国立小学校受験対策に最適な総合問題集です。

おうちでチャレンジ　①・②

①・②　全2巻
本体　各￥1,800＋税

関西最大級の模擬試験『小学校受験標準テスト』ペーパー問題を編集した、実力養成に最適な問題集です。延べ受験者数10,000人以上のデータを分析し、お子さまの習熟度・到達度を一目で判別できるようになっています。
保護者必読の特別アドバイス収録！学習習熟度を測るためにも、定期的に活用したい一冊です。

Q＆Aシリーズ

『小学校受験で知っておくべき125のこと』
『新 小学校受験の入試面接Q＆A』
『新 小学校受験 願書・アンケート文例集500』

本体各￥2,600＋税

「知りたい！」「聞きたい！」
「こんな時どうすれば…？」
そんな疑問や悩みにお答えする、当社で人気の保護者向け書籍です。受験を考え始めた保護者の方や、実際に入試の出願・面接などを控えている直前の保護者の方など、さまざまな場面で参考にしていただける書籍となっています。

書籍についてのご注文・お問い合わせ
☎ 03-5261-8951

http://www.nichigaku.jp
※ご注文方法、書籍についての詳細は、Webサイトをご覧ください。

日本学習図書　検索

図書カード 1000 円分プレゼント

ご記入日　　年　月　日

☆国・私立小学校受験アンケート☆

※可能な範囲でご記入下さい。選択肢は○で囲んで下さい。

〈小学校名〉＿＿＿＿＿＿＿＿＿＿　〈お子さまの性別〉男・女　〈誕生月〉＿＿月

〈その他の受験校〉（複数回答可）＿＿＿＿＿＿＿＿＿＿＿＿＿＿

〈受験日〉①：＿＿月＿＿日〈時間〉＿＿時＿＿分～＿＿時＿＿分

②：＿＿月＿＿日〈時間〉＿＿時＿＿分～＿＿時＿＿分

〈受験者数〉男女計＿＿名（男子＿＿名　女子＿＿名）

〈お子さまの服装〉＿＿＿＿＿＿＿＿＿＿＿＿

〈入試全体の流れ〉（記入例）準備体操→行動観察→ペーパーテスト

＿＿＿＿＿＿＿＿＿＿＿＿＿＿＿＿＿＿＿＿

Eメールによる情報提供

日本学習図書では、Eメールでも入試情報を募集しております。

下記のアドレスに、アンケートの内容をご入力の上、メールをお送り下さい。

ojuken@nichigaku.jp

●行動観察　（例）好きなおもちゃで遊ぶ・グループで協力するゲームなど

〈実施日〉＿＿月＿＿日〈時間〉＿＿時＿＿分～＿＿時＿＿分〈着替え〉□有　□無

〈出題方法〉□肉声　□録音　□その他（　　　　　）〈お手本〉□有　□無

〈試験形態〉□個別　□集団（　　人程度）

〈内容〉

□自由遊び

＿＿＿＿＿＿＿＿＿＿＿＿＿＿＿＿

□グループ活動

＿＿＿＿＿＿＿＿＿＿＿＿＿＿＿＿

□その他

＿＿＿＿＿＿＿＿＿＿＿＿＿＿＿＿

〈会場図〉

●運動テスト（有・無）　（例）跳び箱・チームでの競争など

〈実施日〉＿＿月＿＿日〈時間〉＿＿時＿＿分～＿＿時＿＿分〈着替え〉□有　□無

〈出題方法〉□肉声　□録音　□その他（　　　　　）〈お手本〉□有　□無

〈試験形態〉□個別　□集団（　　人程度）

〈内容〉

□サーキット運動

□走り　□跳び箱　□平均台　□ゴム跳び

□マット運動　□ボール運動　□なわ跳び

□クマ歩き

□グループ活動＿＿＿＿＿＿＿＿＿＿＿＿

□その他＿＿＿＿＿＿＿＿＿＿＿＿＿＿

〈会場図〉

●知能テスト・口頭試問

〈実施日〉＿＿月＿＿日 〈時間〉＿＿時＿＿分 ～ ＿＿時＿＿分 〈お手本〉□有 □無

〈出題方法〉 □肉声 □録音 □その他（　　　　　）〈問題数〉＿＿枚 ＿＿問

分野	方法	内容	詳細・イラスト
（例） お話の記憶	☑筆記 □口頭	動物たちが待ち合わせをする話	（あらすじ） 動物たちが待ち合わせをした。最初にウサギさんが来た。次にイヌくんが、その次にネコさんが来た。最後にタヌキくんが来た。 （問題・イラスト） ３番目に来た動物は誰か
お話の記憶	□筆記 □口頭		（あらすじ） （問題・イラスト）
図形	□筆記 □口頭		
言語	□筆記 □口頭		
常識	□筆記 □口頭		
数量	□筆記 □口頭		
推理	□筆記 □口頭		
その他	□筆記 □口頭		

●制作　(例) ぬり絵・お絵かき・工作遊びなど

〈実施日〉＿月＿日　〈時間〉＿時＿分　〜　時＿分

〈出題方法〉　□肉声　□録音　□その他（　　　　　）　〈お手本〉□有　□無

〈試験形態〉　□個別　□集団（　　　人程度）

材料・道具	制作内容
□ハサミ □のり（□つぼ　□液体　□スティック） □セロハンテープ □鉛筆　□クレヨン（　色） □クーピーペン（　色） □サインペン（　色）□ □画用紙（□ A4　□ B4　□ A3 □その他：　　　　　） □折り紙　□新聞紙　□粘土 □その他（　　　　　）	□切る　□貼る　□塗る　□ちぎる　□結ぶ　□描く　□その他（　　　　） タイトル：＿＿＿＿＿＿＿＿

●面接

〈実施日〉＿月＿日　〈時間〉＿時＿分　〜　時＿分〈面接担当者〉＿名

〈試験形態〉□志願者のみ（　　）名　□保護者のみ　□親子同時　□親子別々

〈質問内容〉

※試験会場の様子をご記入下さい。

□志望動機　□お子さまの様子

□家庭の教育方針

□志望校についての知識・理解

□その他（　　　　　　　　）

（詳　細）

・

・

・

・

例

校長先生　教頭先生

父　子　母

出入口

●保護者作文・アンケートの提出（有・無）

〈提出日〉　□面接直前　□出願時　□志願者考査中　□その他（　　　　　　）

〈下書き〉　□有　□無

〈アンケート内容〉

（記入例）当校を志望した理由はなんですか（150 字）

●説明会（□有　□無）〈開催日〉＿＿月＿＿日〈時間〉＿＿時＿＿分～＿＿時＿＿分
〈上履き〉□要　□不要　〈願書配布〉□有　□無　〈校舎見学〉□有　□無
〈ご感想〉

●参加された学校行事（複数回答可）
公開授業〈開催日〉＿＿月＿＿日〈時間〉＿＿時＿＿分～＿＿時＿＿分
運動会など〈開催日〉＿＿月＿＿日〈時間〉＿＿時＿＿分～＿＿時＿＿分
学習発表会・音楽会など〈開催日〉＿＿月＿＿日〈時間〉＿＿時＿＿分～＿＿時＿＿分
〈ご感想〉
※是非参加したほうがよいと感じた行事について

●受験を終えてのご感想、今後受験される方へのアドバイス
※対策学習（重点的に学習しておいた方がよい分野）、当日準備しておいたほうがよい物など

＊＊＊＊＊＊＊＊＊＊＊＊　ご記入ありがとうございました　＊＊＊＊＊＊＊＊＊＊＊＊

必要事項をご記入の上、ポストにご投函ください。

なお、本アンケートの送付期限は入試終了後３ヶ月とさせていただきます。また、入試に関する情報の記入量が当社の基準に満たない場合、謝礼の送付ができないことがございます。あらかじめご了承ください。

ご住所：〒＿＿＿＿＿＿＿＿＿＿＿＿＿＿＿＿

お名前：＿＿＿＿＿＿＿＿＿＿　メール：＿＿＿＿＿＿＿＿＿＿

ＴＥＬ：＿＿＿＿＿＿＿＿＿＿　ＦＡＸ：＿＿＿＿＿＿＿＿＿＿

アンケートのご記入ありがとうございました

ご記入頂いた個人に関する情報は、当社にて厳重に管理致します。弊社の個人情報取り扱いに関する詳細は、www.nichigaku.jp/policy.phpの「個人情報の取り扱い」をご覧下さい。

家庭学習をトータルサポート！ ニチガクのオリジナル 効果的 学習法

1 まずは アドバイスページを読む！

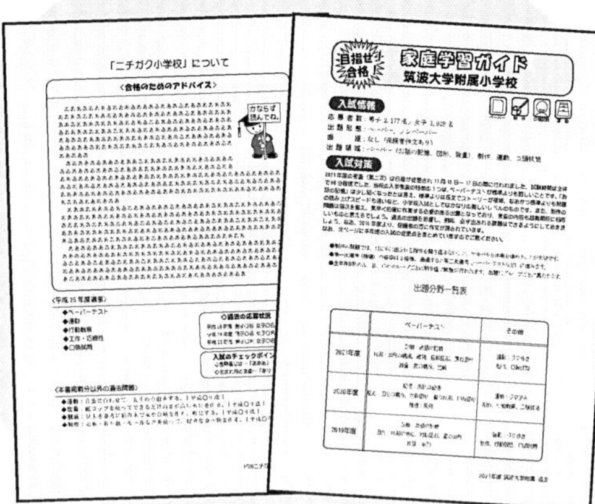

対策や試験ポイントがぎっしりつまった「家庭学習ガイド」。分野アイコンで、試験の傾向をおさえよう！

2 問題をすべて読み、出題傾向を把握する

3 「学習のポイント」で学校側の観点や問題の解説を熟読

4 はじめて過去問題にチャレンジ！

5 プラスα 対策問題集や類題で力を付ける

過去問のこだわり

ピンク色です

最新問題は問題ページ、イラストページ、解答・解説ページが独立しており、お子さまにすぐに取り掛かっていただける作りになっています。
ニチガクの学校別問題集ならではの、学習法を含めたアドバイスを利用して効率のよい家庭学習を進めてください。

各問題のジャンル

問題8 分野：図形（構成・重ね図形）

〈準備〉 鉛筆、消しゴム

〈問題〉 ①この形は、左の三角形を何枚使ってできていますか。その数だけ右の四角に○を書いてください。
②左の絵の一番下になっている形に○をつけてください。
③左には、透明な板に書かれた3枚の絵があります。この絵をそのまま3枚重ねると、どうなりますか。右から選んで○をつけてください。
④左には、透明な板に書かれた3枚の絵があります。この絵をそのまま3枚重ねると、どうなりますか。右から選んで○をつけてください。

〈時間〉 各20秒

〈解答〉 ①○4つ ②中央 ③右端 ④右端

学習のポイント

空間認識力を総合的に観ることができる問題構成といえるでしょう。これらの3問を見て、どの問題もすんなりと解くことができたでしょうか。当校の入試は、基本問題は確実に解き、難問をどれだけ正解するかで合格が近づいてきます。その観点からいうなら、この問題は全問正解したい問題に入ります。この問題も、お子さま自身に答え合わせをさせることをおすすめいたします。自分で実際に確認することでどのようになっているのか把握することが可能で、理解度が上がります。実際に操作したとき、どうなっているのか。何処がポイントになるのかなど、質問をすると、答えることが確認作業になるため、知識の習得につながります。形や条件を変え、色々な問題にチャレンジしてみましょう。

【おすすめ問題集】
Jr.ウォッチャー45「図形分割」

学習のポイント

各問題の解説や学校の観点、指導のポイントなどを教えます。
今日から保護者の方が家庭学習の先生に！

おすすめ対策問題集

分野ごとに対策問題集をご紹介。苦手分野の克服に最適です！
＊専用注文書付き。

2024年度版
西南学院小学校
福岡教育大学附属小学校　過去問題集

発行日　2023年10月30日
発行所　〒162-0821 東京都新宿区津久戸町 3-11-9F
日本学習図書株式会社
電　話　03-5261-8951 ㈹

詳細は http://www.nichigaku.jp　日本学習図書　検索